Contents

www.gaelic-rings.com

Fàilte!

Welcome to Cearcaill na Gàidhlig – The Gaelic Rings – a collaborative journey round the beautiful west coast of Scotland. Altogether there are six personal journeys here, and my hope is that you will enjoy travelling with us around this very special part of the world.

Cearcaill na Gàidhlig began as an innovative tourism-marketing initiative in 2007, with the stated aim of articulating the fundamental importance of the Gaelic language and its culture throughout the Hebridean Islands and the West Highland mainland. The great and definitive Gaelic dictionary compiled by the Englishman Edward Dwelly between 1890 and 1910 actually gives three meanings to the Gaelic word 'Cearcall' – namely, hoop, circle and ring. These three inter-twining definitions provide the basis for our journeys.

Aimed at both Gaelic and non-Gaelic speaking visitors, The Gaelic Rings aims to celebrate the richness of Gaelic language and culture, not only by highlighting the important role Gaelic has played in Scotland's past but, more importantly, its relevance in today's modern world. By belonging to the present, and not just the past, it therefore belongs to the future. Cearcaill na Gàidhlig also celebrates landscapes, the environment, landmarks and areas of historical and contemporary significance, as well as specifically pointing you towards places to visit, stay, eat and drink.

The very first Gaelic Ring was launched in 2007 and is based on Caledonian MacBrayne's island Hopscotch route taking in Oban, Barra, Eriskay, South Uist, Benbecula, North Uist, and Skye and Mallaig. The Ring is completed with the road journey from Mallaig to Oban. The Hopscotch journeys round the islands of the west coast of Scotland seem therefore to me to be aptly named – Cearcaill na Gàidhlig, The Gaelic Rings. The circles are plural – there are after all nearly 50 inhabited islands off the west coast, from Arran in the south to Lewis in the north, with as many again uninhabited, from St Kilda to Mingulay. Circles also remind us of the great Celtic art-works of the Middle Ages, with the beautiful entwined symbols reaching their ultimate peak in the beautiful Book of Kells, created in the holy island of Iona and now to be seen at Trinity College Dublin (where it was taken centuries ago for safe-keeping from marauding Vikings!). Mention of Ireland reminds us of the fundamental historic, cultural and linguistic connection between Gaelic Scotland and Gaelic Ireland.

I had the great pleasure of being invited to write my personal journey of the first Gaelic Ring and I'm delighted that, for 2008, you'll now also be able to enjoy the personal journeys of Dr Mairi Macarthur, as Mairi travels from Oban to Mull, Ardnamurchan and Skye; Brian Wilson, takes us along the 'Road to the Isles' from Fort William to Mallaig and then to Skye, North Uist, Berneray, Harris, Lewis and Ullapool. Moving to the southern Hebridean islands, Iseabail and Margaret Mactaggart take us on their Gaelic Ring journey from Kennacraig to Islay, Colonsay and Oban, before we head from Oban to the islands of Coll and Tiree in the excellent and informed company of a Tiree born-and-bred man, Professor Donald Meek. We then set off for the Small Isles of Muck, Eigg, Rum and Canna to enjoy and experience the journey with Hugh and Jane Cheape as they sail from Mallaig to these very special islands.

Finally, you'll travel with me from Oban to the Outer Hebridean islands of Barra, Eriskay, South Uist, Benbecula and North Uist before we take the ferry to Skye, and the ferry (in Gaelic it's called aiseag) from Skye to Mallaig. These six splendid Gaelic Rings journeys are presented to you in both English and Gaelic, and they can also be accessed at www.gaelic-rings.com

For me, the ring of history is large and wide and like all rings, resonates with meaning and memory. One thing, one island, one journey, leads to another: the adventure is endless. Enjoy it as you experience it for yourself.

Angus Peter Campbell

The history of Gaelic

The Gaelic family of the Celtic tongues, as spoken in Ireland, Scotland and the Isle of Man, is among the more ancient of the great Indo-European languages that collectively make up almost all of the indigenous languages spoken throughout Europe. It was long accepted by scholars that Gaelic-speaking Scotti from the north of Ireland first crossed from Ireland to settle in Kintyre, to form the kingdom of Dalriada, some time between the third and fifth century AD. The most recent scholarship, however, casts serious doubt on this widely accepted view.

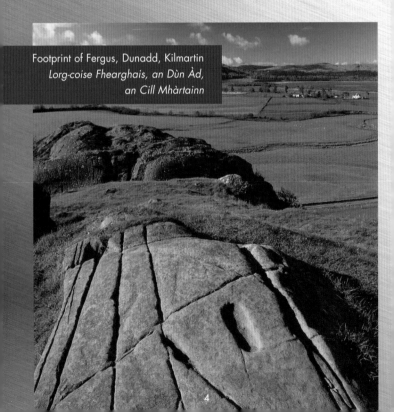

Footprint of Fergus, Dunadd, Kilmartin
Lorg-coise Fhearghais, an Dùn Àd,
an Cill Mhàrtainn

Archeological evidence suggests that Gaels had occupied Argyll from a much earlier date, possibly since the early Iron Age. Gaelic's golden age was between the sixth and eighth centuries when the Gaelic saints brought literacy and enlightenment to the far corners of Europe.

By the eleventh century, Gaelic was spoken throughout almost all of Scotland, but the erosion began in 1070 when Malcolm III Canmore married the Anglo-Saxon Margaret. She saw it as her mission to anglicise the Scottish court and church by introducing Anglo-Norman ideas. Thus began a gradual process of the anglicising of Scotland and a concomitant decline of Gaelic.

Gaelic society was a tribal society in which the Chief of each Clan measured his wealth and power by the number of men he could muster to fight for him, but this Clan system was finally broken with the defeat of the Stuart cause at Culloden in 1746. Then in the nineteenth century the tragedy of the notorious Highland Clearances decimated rural Gaelic speaking communities.

The First World War also caused many deaths among young Gaelic speaking men, and the steady drift of rural Gaelic speakers to cities or overseas further diminished Gàidhealtachd populations. It was not till the 1970s and 80s that new and effective initiatives were taken to address this erosion. This took the form of new or more focused structures to revive Gaelic, including the development of Gaelic broadcasting, publishing, arts, adult learning and Gaelic Medium Education at pre-school, primary, secondary and tertiary levels. Bòrd na Gàidhlig was also established as a public body by the Gaelic Language (Scotland) Act 2005, to promote the use of the language and ensure its long term future.

As a result of all of these initiatives, a new generation of confident Gaels is emerging – and with the Gaelic Rings journeys you can voyage into Gaelic's historical past and play a part in its vibrant future.

Ullapool

Tarbert

Harris
Leverburgh
Berneray

Gairloch

A865
Lochmaddy
A867
North Uist

A855
Uig
A87

Benbecula
A865

Skye
B885
Portree
Raasay

South
Uist
A863

B8009
Sconser
Kyle of
Lochalsh

A87
Broadford
A851
Eilean
Donan
Castle

A865
Lochboisdale

Eriskay

Canna
Armadale

Barra
A888
Castlebay

Rum
Mallaig

Eigg

Muck
A830

Glenfinnan
A830

A861
Fort William

Ardnamurchan
Point
Kilchoan
B8007
A861
Strontian
Corran
Ferry
A82
A861

Coll
Arinagour
A884

Scarinish
Tobermory
Lochaline
A828
Appin

Tiree
Fishnish
Lismore

Mull
Craignure
A85

Iona
Fionnphort
Oban

Colonsay
Scalasaig
Invera

Lochgilphead

6

Route 15: Oban to Barra, Eriskay, South Uist, Benbecula, North Uist, Skye and Mallaig by Angus Peter Campbell

An award-winning poet, novelist, journalist, broadcaster and film actor. Born on the island of South Uist, Angus Peter now lives with his wife and six children on the Isle of Skye. He was awarded the Bardic Crown for Gaelic poetry and a Creative Scotland Award in 2001. His Gaelic novel *An Oidhche Mus do Sheòl Sinn* (The Night Before We Sailed) was voted by the public into the Top 10 of the Best-Ever Books written in Scotland. He has starred in the Gaelic feature film *Seachd* which was shown at the Cannes Film Festival 2007 prior to being shown in cinemas throughout the world. In May 2007, he also published his new Gaelic novel, *An Taigh-Samhraidh (The Holiday Home)*.

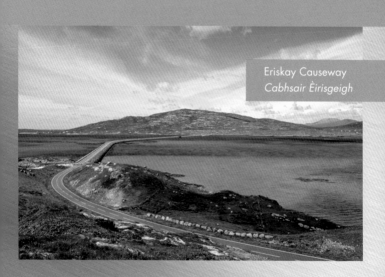

Eriskay Causeway
Cabhsair Èirisgeigh

Route 15: A personal journey from Oban to Barra, Eriskay, South Uist, Benbecula, North Uist, Skye and Mallaig

by Angus Peter Campbell

The notion of Voyaging lies deep in the human psyche, and it is probably no exaggeration to say that our own 21st century journeys are very much part of that old condition: to travel, search, discover and make connections. You can of course mundanely consider a journey in merely functional terms: getting from point A to point B as quickly as possible. It can be a journey of great anxiety: Shall I arrive in time? Where shall I stay? Have I enough money to cover the journey? Do I need to book ahead? What will happen if...

Or alternatively, it can be a journey of great joy and discovery – are these stories about Fionn, the great Gaelic warrior, really true? Do these Fairy Knolls exist? Was there really an old Gaelic cure for warts which involved 'putting nine nines of the joints of the corn (oats) in a secret place, such as under a stone. Do not go near them again, and as they wear away the warts will also disappear?' Was there really a cure for stomach-ache which went like this: 'When a patient is in desperation, put a rope round his feet and hang him by the heels from the rafters. Repeat at reasonable intervals: this will undo the knot in his guts.' What is a 'reasonable interval', I ask myself!? How much of the old ways still survive into the global 21st century? Will you still hear Gaelic spoken as a natural tongue? Yes. Can you still hear beautiful Gaelic hymns sung on Barra and can you still hear the great Gaelic psalms sung on North Uist? Yes again. As with all things, you will discover what you brought with you as much as finding what you hoped, or least hoped, for.

The journey you're about to undertake is, I believe, one of the Great Sea Journeys of the World. Okay, so it's not through ice-floes to the Antarctic like Shackleton, or round Cape Horn like Magellan, or eternally west towards heaven like St Brendan, but it takes you through a landscape and over a seascape which is as beautiful, historic and fascinating as any other corner of the globe. This is an open environment: one of big skies, sparkling waters, glens and mountains, tumbling rivers, eagles and primroses, deserted villages and thriving communities. It's an environment where the ratio of sky to land seems disproportionately balanced in favour of the heavens, with the marvellous consequence that the calibre of the light is unique and distinct: ranging from liquid and translucent on the good days to sombre and awesome in the rough weather.

Whether you begin this journey at Oban and end at Mallaig or vice-versa is in a sense irrelevant: you can do either, and on the intervening voyage you can of course go island-hopping, stopping off for as long as you want to experience a whole variety of different islands, from the more remote ones now just inhabited by the singing birds to the ones bustling with human activity at various Gaelic Fèisean (Festivals). My own journey would begin in Oban where I spent my teenage years on the near island of Seil, with its famous Bridge over the Atlantic. Next door are the islands of Luing, Easdale and Belnahua – the renowned slate islands of Argyll which roofed many buildings throughout the world, from Norway to New Zealand.

Before or after your journey to or from Oban to the Outer Hebrides, please do take time to discover the great Gaelic inheritance of Argyll, from Knapdale in the south through to Appin in the north, from famous Cruachan Beann in the east through to Iona and Tiree in the west. My own people were originally from Argyll, so it's little wonder that I know and love this beautiful corner of Scotland. As a busy seaport carrying passengers from the mainland to the various islands, Oban was once known as 'The Charing Cross of the Highlands', and certainly in midsummer, as the Caledonian MacBrayne ferries sail in and out, it still has a busy, thriving atmosphere.

For me personally the small town of Oban was, I suppose, the gateway to the big world. The big world that has now become the global village. There I saw orange street lights for the first time. There I watched a steam-train for the first time. There I saw a colour television for the first time. There I saw Lauren Bacall on the big screen for the first time. But more importantly, there I met and came to know the great writer Iain Crichton Smith. It was here, with the boats constantly coming and going, that Iain wrestled with the notion of metaphysically coming and going – with the issues of bilingualism, exile, homecoming, law and grace, staying or leaving.

9

So that every time I sail out of or into Oban, or any other harbour, I think of his moving lines reminding us how many Gaels were forced to leave their homeland, for one reason or another:

*"The many ships that left our country
with white wings for Canada.
They are like handkerchiefs in our memories
and the brine like tears
and in their masts sailors singing
like birds on branches..."*

Leaving Oban you weave between land and sea: the islands of Kerrera and Lismore and Mull on one hand and the mainland of Morvern (from the Gaelic *A' Mhorbhairne* meaning Sea Gap) on the other.

As you pass Ardnamurchan Point – the most westerly point on the whole British mainland – you enter the sparkling Sea of the Hebrides with the Small Isles of Muck, Eigg, Rum and Canna to the north and the great Cuillin of Skye beyond that. The rocky island of Coll and machair-filled Tiree are clearly visible to the south, and as you sail across the Sea of the Hebrides itself, you can see on the western shore, a long bead of islands stretching from Barra Head in the south to the Uists, and on to far distant Harris in the north. I can never forget that this too was what the Norsemen saw when they came sailing down in their birlinnean more than 1000 years ago, and what the Kings and Lords of the Isles themselves enjoyed as they ruled these mighty sea-waters for half a millennium.

On this sail from Oban, the small beautiful Isle of Barra is the first physical port of call. And what a port of call, and how aptly named – Bàgh a' Chaisteil in the original Gaelic, simply translated as The Bay of the Castle, or Castlebay as it has become known.

In the bay proudly sits Kismuil Castle, the famous stronghold of the MacNeil of Barra. Like all great Clan Chiefs, the MacNeil had his piper: it is said that each evening the piper played the MacNeil into dinner, and once he had eaten his first morsel the Clan Chief would declare: *'The MacNeil has sat down to dine. Now the rest of the world may eat!'*

Barra, with its beautiful beaches and its famous cockleshell strand, where the planes from Benbecula and Glasgow still land, is more than worth spending time on. Here, as elsewhere in these western islands, you will hear Gaelic spoken in the local shops and Post Offices, on the local buses, in hotels, and of course most evenings you can enjoy some great Gaelic singing and music at various ceilidhs. One of the most beautiful sights in the whole world must be to see the flower-filled machair land of Barra or Uist in early summer: to see the clover and buttercup-filled strands round Eòiligearraidh in May is surely to catch a glimpse of heaven.

Barra hosts some of the finest stories and songs in the Gaelic tradition, ranging from Luran (essentially a story-device to get children to eat their daily porridge: if you ate the porridge it made you fast enough to catch the fairies who stole the cows) to great songs such as *Latha Dhomh 's Mi 'M Beinn a Cheathaich* (*One Day When I Was In The Mountain of Mist*), which is the real original of the English song known as *Kismuil's Galley*. Barra was also famous for dancing – so if you get the chance please make your way to the local ceilidh to learn some great steps.

Unless you decide to stop forever in Barra (and who would blame you!), the next stop, the famous small island of Eriskay, is just as enticing. Here, on what is known as Coilleag a' Phrionnsa (The Prince's Cockleshell-strand), Bonnie Prince Charlie landed for the first time on Scottish soil on his ill-fated mission which ended in the disaster of Culloden, where the great dream of a Gaelicised Scotland finally died on the heather. The gorgeous Roman Catholic church of St. Michael stands rock-solid on top of a hill above Am Baile (The Village), and from it you can see across the new causeway to South Uist, sparkling like a precious jewel on a summer's day.

I was born and brought up on South Uist, so naturally it holds a special place in my affections, but even laying that obvious bias aside, Uist is genuinely one of the joys of Gaelic Scotland. It has everything: a living community, beautiful beaches, stunning wildlife, and on the eastern side the magnificent hills of Ben More, Corghadal and Hecla. The verdant glens between these hills were once well populated, until the people (including my own great-grandparents) were brutally cleared in the mid 19th century to make way for sheep.

This is the land of the marram grass, land of the barley, as the old song puts it. It has miles and miles of long sandy beaches, on huge wide stretches of which your only companions will be the cormorants and the oystercatchers. Recently the people of South Uist have bought the island for themselves – one of the great joys of recent years has been the community purchase of various estates throughout the Highlands and Islands, which has seen the scourge of absent landlords replaced by local ownership. The island trustees are now intent on developing one of their prize assets: the gorgeous Askernish golf course, designed by old Tom Morris. But as with the neighbouring islands, it's the people who matter: the crofting way of life, which ensured a viable population in places such as Uist, is coming under increasing threat from market-forces and globalisation. Tread softly, the poem goes, for you tread on my dreams, and nowhere more so than in these islands: treat the environment and the people with huge respect, and the rewards will be doubled to you, in terms of its natural beauty and its communal return.

Like neighbouring Benbecula, Flodaigh, Grimsay, North Uist and Berneray, South Uist is one of the central rings in the great Gaelic circle. The ruined castles of Ormacleit in South Uist, of Borve in Benbecula and the remains of Teampall na Trianaid (The Church of the Holy Trinity) in Carinish in North Uist may signify time's decay, but equally you will find signs of growth and vitality, from the marvellous Ceòlas Festival held in the south end of South Uist each July, to the splendid artistic work done at Taigh Chearsabhagh at the north end of North Uist.

The central island of Benbecula has hosted a military base for fifty years and yet survived: maybe evidence that despite the current environmental calamity facing the world, all things natural will survive. This central island also hosts the excellent community school at Lionacleit, which serves all the young people from Eriskay to Berneray. It has a very fine library, café and swimming pool which are all open for public use.

North Uist was the birthplace of two of Gaeldom's finest bards – the great 18th century bard Iain MacCodrum, and one of the 20th century's finest, Dòmhnall Ruadh Chorùna. The very name MacCodrum immediately brings us into the bardic territory of legend – the story goes that the great MacCodrums were actually seals in human form. Aside from their connection with the sea, this legend no doubt has to do with totemism: there was a strong taboo against killing the totem animal, and no one bearing the name of MacCodrum would kill a seal or eat seal flesh. Like thousands of other Highland lads, the other great North Uist bard Dòmhnall Ruadh Chorùna fought in the muddy trenches during World War I and left us one of the great Gaelic love songs of all time as a consequence: *An Eala Bhàn (The White Swan)*, where his darling left behind at home in Uist is compared with the exquisite white swan.

The Western Islands and Highlands of Scotland have been emptied of its people over the centuries by clearance, emigration, education away from the native soil, and by war. Dòmhnall Ruadh Chorùna (whose grandfather had fought at the Battle of Corunna in Spain during the Napoleonic Wars) was more than aware of the endless despoliation of war:

"Boys, march at ease!
King of peace be with us
Going into the strife
And into the grave of Arras.
Boys, march at ease!"

That so many of its native people have remained, and that the Gaelic language survives at all, is the real miracle. And that it survives and is thriving is evidenced by mentioning two other North Uist bards who remain very much alive and kicking – Calum and Rory Macdonald, the Runrig songwriters who brought a kind of new meaning to the words 'Gaelic Rock'.

The Sea of the Minch separates North Uist from the Isle of Skye, and one of life's pleasant journeys (the winter one is a tad more challenging!) is certainly the CalMac crossing over the sea to Skye from Lochmaddy to Uig. At an hour and forty-five minutes, it's long enough both to enjoy the sights and have a meal on board – with the hills of Harris and then Lewis on the horizon, Skye in the approaching distance, the sea-birds wheeling overhead and the very real possibility of seeing a diving dolphin beyond the ship's wake. It is important, of course, to realise that the sea connects as well as separates: at one time the sea was the highway which brought communities together. In a world which sometimes seems increasingly brittle (perhaps ironically in days of increased global travel and communication), it seems to me important to stress the things that bind rather than separate: our common legends, songs, hopes, needs and aspirations.

As you cross the short stretch of water between the Uists and Skye, remember for instance the legend of the two giants who each morning and each evening sang across the waters to each other from both sides of the Minch: even pre-Internet, the desire to communicate was universal and necessary.

Skye itself, of course, is the diamond in the ring! Not that I'm biased, living in it! But you should see the sunrise over the great Cuillin Mountains! Or the sunset from the west over distant Canna, Eigg, Rum and Muck, right on to the edges of the world! You should see the Quirang, north of the main town of Portree! You should see Camas Fhionnairigh!

You should have heard Sorley MacLean reciting his great poetry (which you now can at www.sorleymacleantrust.org.uk). You should hear one of Skye's great pipers – any one of them – playing Pàdraig Mòr MacCrimmon's moving pìobaireachd, *The Lament for the Children*, preferably in the Great Hall of Dunvegan Castle.

You should go fishing, or walking or just take the bus anywhere for a day! You should visit the Armadale Castle gardens in Sleat. You should, most certainly, call in at Sabhal Mòr Ostaig, the wonderful Gaelic College in Sleat. Sign on for a course to learn Gaelic, even at a distance: whether you live in Ankara or Alaska, you could become fluent in this great ancient living language, thanks to the wonders of modern technology.

At the very least, learn how to read and pronounce the local place names while you're here: all the road-signs, as with the CalMac signage, are now proudly bilingual, giving the native language a strong visual as well as verbal presence. Thanks especially to Gaelic Medium Education, there is now real hope that the fragile revival of Gaelic can take real root and flourish.

And then, of course, you leave Eden! You return to the mainland, via Mallaig: the finishing or starting point for one of the great railway journeys of the world, preferably by steam-train, through Glenfinnan and down on to Fort William and from thence to the four corners of the known world.

Circles are, of course, endless. My hope is that you will take the Gaelic Rings with you, at the very least as a metaphysical echo: that the people you meet and the places you see on this journey will become an integral part of your own onward journey. Learn some of the stories while you're here. Learn a bit of the language. Take a proverb, or a song, or a prayer, or a memory, or a hope, or even a riddle back home with you – here's one, for instance:

"It can go into the sea and it won't be drowned,
It can go into the kist and it won't be suffocated,
It can go into the fire and won't be burnt,
And it can go to the King's table and it won't feel ashamed."

It is, of course, 'A' Ghrian'! The Sun!

I don't know if you've ever picked up a conch-shell from the beach: on these, too, lines and rings are wrought. Small and fragile, but toughened by time and tide, these shells are both beautiful and delicate. If you put one to your ear they say you can hear the great deep sounds of the mighty ocean, swelling: as lovely a metaphor as I can think of for the islands we've travelled through, where a tiny beautiful thing speaks with a permanent voice.

I hope that this has been more than a mere journey from A to B: may it have been from A to Z, and back again.

Lochmaddy from Blashaval
Loch nam Madadh o Bhlàiseabhal

Teampall na Trianaid,
an Uibhist a Tuath
Teampall na Trianaid, North Uist

Àireamh 15: Cuairt phearsanta às an Òban gu Barraigh, Èirisgeidh, Uibhist a Deas, Beinn na Fadhla, Uibhist a Tuath, an t-Eilean Sgitheanach agus Malaig

le Aonghas Pàdraig Caimbeul

Saoilidh mi gu bheil gluasad no siubhal no imrich glè dhomhainn ann an psyche a' chinne-daonna, agus tha fhios gum buin na siùbhlaichean mòra a tha sinn uile a' dèanamh anns an 21mh linn dhan t-seann nàdar sin a thug oirnn uile, airson mìle diofar adhbhair, gluasad, imrich agus taisdeil. Agus faighinn a-mach.

Faodaidh tu coimhead air cuairt sam bith gu sìmplidh, mar rud practaigeach – mar rud a dh'fheumas tu a dhèanamh, gluasad bho A gu B cho luath 's a ghabhas. Faodaidh i a bhith na chuairt glè iomagaineach – 'An ruig mi ann an àm? Càit am fuirich mi? A bheil airgead gu leòr agam son mo thuras? Am feum mi clàradh air a' bhàta ro-laimh? Dè a thachras ma...'

Air neo, air an làimh eile, faodaidh e bhith na chuairt làn aoibhneis agus toileachais – 'A bheil na sgeulachdan ud mu Fhionn, an gaisgeach mòr Gàidhealach, dà-rìreabh fìor? A bheil na sìthichean ud ann gun teagamh? An robh gu dearbha seann leigheas Gàidhealach ann a bha ag ràdh 'Cuir naoi naoidheanan eòrna fo chloich agus siùbhlaidh na foinneachan?'

An robh, ann an dà-rìreabh, leigheas airson stamag ghoirt a bha dol mar seo: 'Nuair a tha an t-euslainteach ann am fìor èiginn, cuir ròpa timcheall a chasan agus croch e bho shàilean bho na sailthean. Dèan seo cho tric agus a tha reusanta. Fuasglaidh seo an snaoim na mhionach.' Dè cho tric agus a tha 'reusanta', tha mi faighneachd dhomh fhìn!? Dè an ìre gu bheil na seann dòighean fhathast a' mairceachdainn san 21 linn? An cluinn thu fhathast Gàidhlig air a bruidhinn gu nàdarra? Aidh. An cluinn thu fhathast laoidhean àlainn Gàidhlig air eilean Bharraigh, agus an cluinn thu fhathast na sailm mhòra dhrùidhteach air an seinn an Uibhist a Tuath? Aidh agus aidh. Mar gach nì eile, gheibh thu an rud leis an tàinig thu, a cheart cho math 's a gheibh thu an rud ris an robh dùil – air neo ris nach robh dùil sam bith – agad.

Tha a' chuairt a tha thu a' dol a ghabhail, na mo bheachd-sa, cho math le cuairt sam bith air feadh an t-saoghail. Ceart gu leòr, chan ann tro na raointean-deigh dhan Antartaig cleas Shackleton, no timcheall Rubha a' Chip mar Magellan, no gu sìorraidh siar gu flaitheanas mar Naomh Brianan, ach tha i gad thoirt tro chuan agus tro thìr a tha a cheart cho àlainn, eachraidheil agus prìseil ri oisean sam bith eile dhen t-saoghal mhòr seo. Seo againn àrainneachd mhòr fhosgailte: iarmailt fharsaing, uisgeachan deàlrach, glinn is monaidhean, aibhnichean tuilteach, iolairean is seòbhragan, bailtean air am fàsachadh agus coimhearsnachdan cuideachd làn-bheò. Seo agad àrainneachd far a bheil cothromachadh a chùm nan nèamh, le barrachd adhair, mar gum bitheadh, na talamh. Sin as adhbhar dhan t-solas a chì thu an seo aig amannan – solas a tha tana, liath-ghorm, soillseach aon latha agus dorcha trom tùrsach an ath latha.

Chan eil e gu mòran diofair an tòisich thu a' chuairt seo san Òban air neo ann am Malaig: 's e an t-astar agus na h-àiteachan agus na daoine eadar an dà cheann-uidhe a tha cudromach, air neo co-dhiù fa-near dhomh an seo. Thòisicheadh mo chuairt fhèin san Òban, far an do chuir mi seachad bliadhnachan m' òige air Eilean Shaoil, tarsainn drochaid ainmeil na h-Atlantaig. Faisg air làimh tha na h-eileanan àlainn eile: Luinn is Eisteal is Beul na h-Uamha – Eileanan ainmeil nan Sglèat a chòmhdaich iomadach mullach-togalaich air feadh an t-saoghail mhòir, eadar Nirribhidh agus Sealan Nuadh. Ach mus seòl thu a-mach às an Òban dha na h-Eileanan Siar, feuch gun gabh thu an cothrom eòlas fhaighinn air dualchas Gàidhlig Earra-Ghàidheal, bho Chnapadal sa cheann-a-deas dhan Apainn sa cheann-a-tu ath, eadar Cruachan Beann san taobh sear agus Eilean Ì agus Tiriodh san iar.

Thàinig pàirt dhem chuideachd fhèin à Earra-Ghàidheal o thùs (as a' Bhàrr a' Bhreac, deas air an Òban, agus à Muile) 's mar sin chan e iongnadh sam bith a th' ann gu bheil mi glè dhèidheil air a' phàirt seo de dh'Alba. B'e port trang a bha a-riamh san Òban, aig aon àm air ainmeachadh mar 'Charing Cross na Gàidhealtachd', agus gu h-àraidh ann an meadhan an t-samhraidh tha e fhathast airidh air an fhar-ainm sin.

Dhomh fhìn, tha mi cinnteach gum b'e an t-Òban, gu ìre air choireigin, uinneag no doras a-steach dhan t-saoghal mhòr. An saoghal mòr a tha a-nis na bhaile beag. Ann a shin chunnaic mi solais orains nan sràidean airson a' chiad turas. An sin choimhead mi le iongnadh air trèan-smùide airson a' chiad turas riamh. An sin chunna mi telebhisean dathte airson a' chiad turas. An sin, chunna mi Lauren Bacall air an sgrìn mhòr airson a' chiad turas.

Ach nas cudromaiche na iad sin uile, b' ann san Òban a fhuair mi aithne agus eòlas air an t-sàr sgrìobhaiche, Iain Crichton Mac a' Ghobhainn, aig an robh flat beag sa bhaile. B' ann an seo, fa chomhair nan soitheachan a' tighinn 's a' falbh, a rinn Iain strì bhàrdail ri bhith eadar dà shaoghal – le dà-chànanas, eilthireachadh, tighinn dhachaigh, lagh is gràs, a' fuireach no falbh. 'S mar sin, gach uair a sheòlas mi a-mach às an Òban, no à caladh sam bith eile, bidh mi cuimhneachadh nam briathran drùidhteach aige air mar a b' fheudar do dh'iomadach Gàidheal a dhùthaich fhàgail, airson adhbhar air choireigin:

"A liuthad soitheach a dh'fhàg ar dùthaich
le sgiathan geala a' toirt Canada orra.
Tha iad mar neapraigean 'nar cuimhne
's an sàl mar dheòirean,
's anns na croinn aca seòladairean a' seinn
mar eòin air gheugan..."

A' fàgail an Òbain fhèin, seòlaidh tu eadar cuan is fearann: eileanan Chearrara 's Lios Mhòir 's Mhuile air aon taobh agus tìr-mhòr na Morbhairne air an taobh eile. Dol seachad air Rubha Àird nam Murchan – am pìos fearainn as fhaide siar air mòr-roinn Bhreatainn – tha thu a' dèanamh air a' Chuan Bharrach, le na h-Eileanan Beaga, Eilean nam Muc, is Eige is Rum is Canaigh gu tuath agus Cuilitheann àrd an Eilein Sgitheanaich seachad orrasan. Chì thu Cola creagach, agus Tiriodh ìseal gu deas, agus a-null mud choinneamh paidearan nan eilean siar, Ceann Bharraigh gu deas, an uair sin Uibhist, agus beanntan àlainn na Hearadh air fàire beagan gu tuath.

Aig na h-amannan sin bidh mi daonnan cuideachd a' cuimhneachadh gur e seo an dearbh shealladh a chunnaic na Lochlannaich mhòra fhèin nuair a sguab iad a-nuas bhon tuath nan cuid bhirlinnean o chionn còrr is 1000 bliadhna, agus gum b'e seo cuideachd a bha fo chomhair Tighearnan nan Eilean fhad 's a bha iadsan a' riaghladh an seo airson nan ceudan de bhliadhnachan. Air an t-seòladh seo bhon Òban 's e Eilean Bharraigh a' chiad àite air an tadhail thu: agus abair àite sònraichte son tadhal!

Ann am Bàgh a' Chaisteil fhèin tha Caisteal Chìosamal suidhichte, tùr ainmeil MhicNèill Bharraigh. Coltach le gach ceann-cinnidh eile, bha a phìobaire fhèin aig Fear Bharraigh: 's tha iad ag ràdh gum biodh am pìobaire a' cluich gach oidhche mus gabhadh MacNèill a dhìnnear. Aon uair 's gun suidheadh MacNeill, chanadh e an uair sin: 'Tha Fear Bharraigh air suidhe. Faodaidh an còrr dhen t-saoghal ithe a-nis!'.

Is math as d' fhiach Eilean Bharraigh deagh ùine a chur seachad ann. Tràighean iongantach, nam measg Tràigh Eòiligearraidh, far am bi an t-itealan a' laighe gach latha. An seo, mar ann an iomadach eilean eile, bu chòir dhut Gàidhlig a chluinntinn air a bruidhinn mar chànan-làitheil anns na bùithtean, ann an oifis a' phuist, air na busaichean agus anns na taighean-òsda. Gu seachd cinnteach, tha fhios gun cluinn thu a' chainnt air a labhairt 's air a seinn aig na cèilidhean a bhios a' dol air feadh nan eilean.

Chan eil fhios agamsa a bheil aon sealladh san t-saoghal mhòr a tha cho brèagha ri machaire Bharraigh no Uibhist fhaicinn còmhdaichte ann an dìtheinean san tràth-shamhradh: tha fhios gu bheil sealladh de thràigh Eòiligearraidh loma-làn sheamragan is bhuidheagan sa Chèitean cho faisg 's a gheibh sinn air an taobh seo de shealladh air nèamh fhèin.

Mura stad thu gu sìorraidh ann am Barraigh ('s cò a chuireadh coire ort airson a leithid?), 's e Eilean Èirisgeigh an ath stad agad. Eilean a tha cheart cho tarraingeach. An seo, air an tràigh bhòidheach ris an can iad a-nis 'Coilleag a' Phrionnsa', chuir Teàrlach Eideard Stiùbhart ('An Suaithneas Bàn') cas airson a' chiad uair riamh air talamh tròcair na h-Albann. A' chiad cheum air a' chuairt thubaisteach a thàinig gu ceann fuilteach air raointean lom Chùil Lodair, far an do bhàsaich an aisling mhòr – gum biodh Alba Stiùbhartach, Caitligeach agus 's dòcha Gàidhealach – air an fhraoch. Tha eaglais air leth brèagha an Èirisgeigh – Eaglais Naomh Mhìcheil na seasamh daingeann air spiris cloiche àrd os cionn an eilein, às am faic thu sealladh iongantach a-null a dh'Uibhist a Deas.

Rugadh agus thogadh mise ann an Uibhist a Deas, 's mar sin tha àite air leth aig an eilean àlainn sin nam chridhe, ach fiù 's a' cur a' chàirdeis nàdarra sin gu aon taobh, chan eil mòran teagaimh agam nach e Uibhist fear dhe na h-àiteachan as bòidhche ann an Alba gu lèir. Tha a h-uile nì an seo: coimhearsnachdan beò, tràighean àlainn, àrainneachd air leth, agus air an taobh sear beanntan cho brèagha agus a th' ann – A' Bheinn Mhòr, Corghadal agus Teacal.

Seo agad Tìr a' Mhurain, Tìr an Eòrna, mar a tha an seann òran ga chur. Mìltean mòra de thràighean geala gainmhich, air nach faic no nach cluinn thu duine beò mura cluinn thu na h-eòin, eadar na sgairbh agus na gillean-brìghde. O chionn ghoirid cheannaich muinntir Uibhist a Deas an t-eilean dhaib' fhèin agus tha iad trang a' feuchainn ri fear dhe na seudan a tha aca a leasachadh: raon-ghoilf Aisgeirnis a chaidh a dhealbh bho thùs le Seann Tom Morris. Ach os cionn àrainneachd is eile, is e na daoine fhèin an rud as prìseile an Uibhist. Seo aon àite far an do chùm cruitearachd sluagh anns na bailtean, agus tha dùbhlan mòr fhathast ro na Gàidheil dèanamh cinnteach gu bheil siostam cruitearachd air a dhìon gus an tèid na seann dòighean chan e a-mhàin a chumail ach a leasachadh gu h-organach son na 21mh linn.

Tha fhios an seo gu bheil sinn aig teas-meadhan Cearcaill na Gàidhlig: ann an Uibhist a Deas, ann am Beinn a' Bhadhla, ann am Flodaigh, ann an Griomasaigh, ann an Uibhist a Tuath, ann am Beàrnaraigh. Tha comharran gu leòr tro na h-eileanan àlainn sin gu bheil cùisean cuideachd a' crìonadh: chan eil agad ach coimhead air na seann làraichean, leithid Caisteal Ormacleit 's Caisteal Bhuirgh ann am Beinn a' Bhadhla agus air Teampall na Trianaid ann an Càirinis son tuigsinn gu bheil tìm is cinneamhain a' bualadh air gach nì.

Ach aig an dearbh àm chì thu cuideachd rudan eile a' fàs agus ag ùrachadh, eadar an Fhèis iongantach sin Ceòlas a bhios a' gabhail àite ann an ceann-a-deas Uibhist a Deas gach toiseach samhraidh, agus an obair bheothail a thaobh nan Ealain a tha Taigh Chearsabhagh a' dèanamh aig ceann eile Uibhist a Tuath. Tha an t-eilean a tha sa mheadhan, Beinn a' Bhadhla, air ionad armachd agus na mìltean de shaighdearan 's de choigrich fhàilteachadh a-nis o chionn còrr is leth-cheud bliadhna, agus air tighinn às slàn sàbhailte: 's dòcha fianais, na dhòigh fhèin, a dh'aindeoin nan cunnartan mòra a tha romhainn uile a thaobh na h-àrainneachd, gum faigh sinn troimhe fhathast le furtachd is ciall is foighidinn. 'S dòcha fhathast gun tèid dualchas an aghaidh nan creag. Tha goireasan air leth am Beinn a' Bhadhla, deagh chuid dhiubh suidhichte ann an Sgoil Lìonacleit, far a bheil leabharlann, taigh-bìdh agus amar-snàimh poblach am measg eile.

Chaidh beannachd na bàrdachd a bhuileachadh air iomadach sgìre dhen Ghàidhealtachd, agus bha Uibhist a Tuath air leth beannaichte gum buineadh dithis cho math agus a bh' againn dhan eilean àlainn seo – Iain MacCodrum a bhuineadh dhan 18mh linn agus Dòmhnall Ruadh Chorùna a bhuineadh dhan 20mh linn. Coltach ri mìltean de bhalaich Ghàidhealach eile, b' fheudar do Dhòmhnall Ruadh Chorùna a dhol dha na trainnsichean fuilteach sa Chogadh Mhòr, agus ri linn sin dh'fhàg e fear dhe na h-òrain gaoil as taitniche a th' againn: An Eala Bhàn.

Mar iomadach bàrd eile, ge-tà, bha Dòmhnall Ruadh fhèin mothachail nach e dìreach na trainnsichean a sguab an òigridh air falbh o Ghàidhealtachd na h-Alba. Chaidh na glinn 's na h-eileanan fhalamhachadh tro na linntean le Fuadach, Eilthireachd agus Foghlam, ach cha b'e na bhàsaich air raointean-cogaidh an t-saoghail am fear bu lugha dhiubh sin. Nach e bha mothachail air cho buan agus marbhtach 's a bha gach blàr is cogadh:

"Ghillean, march at ease!
Rìgh na sìth bhith mar ruinn
A' dol chun na strì
'S chun na cill aig Arras.
Ghillean march at ease!"

Tha fhios gur e a' mhìorbhail gun tàinig neach idir beò as an lèirsgrios. Tha fhios gur e a' mhìorbhail cuideachd gu bheil sluagh idir air fhàgail an Uibhist is eile, agus gu bheil a' Ghàidhlig fhathast slàn beò, lag agus briste 's gu bheil i. Agus mar dhearbhadh beag air a sin 's dòcha gum bu chòir dhuinn cuideachd ainmeachadh gur ann à Uibhist a Tuath a thàinig dà dheagh bhàrd eile a tha air cur gu mòr ri ath-leasachadh na Gàidhlig o chionn bhliadhnachan – Calum agus Ruairidh Dòmhnallach, balaich Runrig.

Tha Cuan Uibhist – air neo An Cuan Sgìth a rèir mar a choimheadas tu air! – a' sgaradh Uibhist on Eilean Sgitheanach, ach air latha brèagha samhraidh chan eil cuairt-mhara a tha cho dòigheil (air droch latha geamhraidh, gun teagamh sam bith, 's e naidheachd eile a th'ann...). Chan eil a' chuairt-mhara ach beagan is uair gu leth, mar sin a' toirt cothrom dhut sùil a thoirt air na seallaidhean agus cuideachd biadh ithe air bòrd. Tha e cudromach cuimhneachadh aig na h-amannan seo gu bheil an cuan cuideachd gar ceangal, a bharrachd air a bhith gar sgaradh. Aig aon àm b'e na cuantan mòr-rathaidean an t-saoghail. Ann an saoghal a tha air a shìor sgaradh o chèile (a dh'aindeoin gach siubhail is conaltradh dealantach is eile) tha fhios gu bheil e cudromach cuideam a chur air na rudan a tha gar ceangal còmhla seach air na nithean a tha gar sgaradh – ar sgeulachdan. Ar n-uirsgeulan, ar n-òrain, ar dòchasan, ar miannan.

Fhad 's tha thu a' dol tarsainn a' Chuain Sgìth, carson, mar eisimpleir, nach cuimhnich thu air an t-seann sgeul air mar a bhiodh an dà fhuamhaire a' seinn tarsainn na mara gu chèile tràth gach madainn agus anmoch gach feasgar – fiù's mus tàinig an t-eadar-lìon bha e riatanach agus prìseil a bhith a' conaltradh ri chèile! 'S e an t-Eilean Sgitheanach fhèin an daoimean anns a' chearcall! Chan e gu bheil mi a' taobhadh ris an eilean, 's mi a' fuireach ann! Ach bu chòir dhut èirigh na grèine fhaicinn os cionn a' Chuilithinn! Air neo dol fodha na grèine on taobh siar a-null taobh Chanaigh is Eige is Ruma is Eilein nan Muc, a-mach gu oirthir an t-saoghail mhòir! Bu choir dhut Cuithe Fhraing fhaicinn, tuath air a' bhaile mhòr, Port Rìgh! Nam faiceadh tu Camas Fhionnairigh! O, nam biodh tu air Somhairle MacGill-Eain a chluinntinn ag aithris a chuid bàrdachd (rud as urrainn dhut a dhèanamh a-nis air aneadar-lion-eadar-nàiseanta: www.sorleymacleantrust.org). O, nan cluinneadh tu fear, no tè, de phìobairean an Eilein Sgitheanaich a' seinn a' chiùil-mhòir aig Pàdraig Mòr MacCriomain, 'Cumha na Cloinne', gu seachd àraidh ann an Talla Mhòr Chaisteal Dhùn Bheagin!

Bu chòir dhut a dhol a dh'iasgach air fear de lochannan àlainn an eilein! No a choiseachd. No thalla air bus sam bith a dh'àiteigin son an latha. Bu chòir dhut tadhal air Gàrraidhean Caisteal Armadail. Bu chòir dhut, gu cinnteach, tadhal aig Sabhal Mòr Ostaig. Cuir d' ainm ri cùrsa Gàidhlig, fiù 's aig astar: chan eil e gu diofar a bheil thu a' fuireach ann an Ankara air no ann an Alasga, dh'fhaodadh tu fàs fileanta sa chànan phrìseil seo, tro theicneolas eadar-nàiseanta. Aig a' char as lugha ionnsaich mar a dh'fhuaimnicheas tu na h-ainmean-àite fhad 's a tha thu an seo: tha gach soidhne-rathaid, dìreach mar a tha na soidhnichean-poblach aig CalMac fhèin, a-nis ann an dà chànan, a' toirt taisbeanadh làidir lèirsinneach dhan a' Ghàidhlig. Gabh beachd air an dòchas a tha an lùib foghlaim tro mheadhan na Gàidhlig, gum mair a' chànan fhathast a dh'aindeoin gach gàbhaidh. Agus an uair sin – mo chreach! – fàgaidh tu Eden! Tillidh tu gu tìr-mòr, taobh Mhalaig: àite-tòisichidh (air neo àite-crìochnaichidh) son tè dhe na cuairtean rèile as iongantaiche san t-saoghal cuideachd, tro Ghleann Fhionghain sìos dhan Ghearastan, agus bhuaithe sin gu ceithir ranna ruadha an domhain.

Tha cearcaill, mar a thuigeas sibh, gun chrìch. Is e mo dhòchas-sa gun toir thu Cearcaill na Gàidhlig còmhla riut, aig a' char as lugha mar mhac-talla san eanchainn agus anns a' chuimhne: gum bi na daoine ris an do choinnich thu agus na h-àiteachan a chunnaic thu air a' chuairt seo nam pàirt bunaiteach dhe gach cuairt eile a ghabhas tu. Ionnsaich beagan dhe na sgeulachdan fhad 's a tha thu an seo. Ionnsaich beagan dhen chànan. Thoir seanfhacal, no òran, no ùrnaigh no cuimhne no dòchas no fiù s' tòimhseachan air ais dhachaigh còmhla leat – seo fear, mar eisimpleir:

"Thèid e dhan mhuir 's cha bhàthar e,
Thèid e dhan chist' 's cha mhùchar e,
Thèid e dhan teine 's cha loisgear e,
'S thèid e gu bòrd an rìgh 's cha bhi nàir air."

O, dè eile a th' ann ach – 'A' Ghrian'!

Chan eil fhios a'm an do thog sibh riamh slige-chruinn bhon a' chladach: chì thu cuideachd loidhnichean agus cearcaill air na sligean brèagha sin. Beag agus briseach, ach air an neartachadh le tìm is seòl-mara, tha na sligean sin an dà chuid ceanalta agus fìnealta. Ma chuireas tu rid chluais i , tha iad ag ràitinn gun cluinn thu fuaim na h-ataireachd àird: meatafor cho freagarrach 's a th' ann mun chuairt a ghabh sinn, agus mu na h-eileanan tro na ghabh sinn i, far a bheil rud beag bìodach brèagha a' labhairt le guth gaisgeil maireannach.

Tha mi an dòchas nach e dìreach cuairt bho A gu B a bha seo, ach cuairt bho A gu Z (no Ailm gu Ur mar a bhiodh againn sa Ghàidhlig), agus gu dearbh air ais a-rithist, bhu U gu A.

Baintighearna nan Eilean is an Leanabh,
air Ruaidheabhal, an Uibhist a Deas
Our Lady of the Isles and Child, Ruaival, South Uist

Route 7: Oban to Mull, Ardnamurchan and Skye by Mairi Macarthur

Born and brought up in St. Andrews into a family with roots, on her father's side, in Iona and, on her mother's, in Lewis. Author of several books on the crofting and social history of Iona, she has also acted as Consultant to the island's Heritage Centre since it opened in 1990. Now resident in Ross-shire, she works part-time as a writer and publisher of local history relating to Mull and Iona and, with her partner Bob Pegg, has been involved in a range of oral history and storytelling projects in the Highlands.

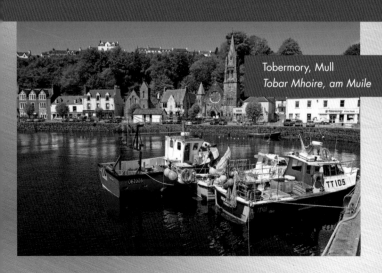

Tobermory, Mull
Tobar Mhoire, am Muile

Route 7: A personal journey from Oban to Mull, Ardnamurchan and Skye

by Mairi Macarthur

Seagulls remain the most vivid memory. Throughout childhood, their squawking was the signal that Oban Bay was in sight, the final lap of an annual trek westwards to my father's native Iona. We had traversed the country, from a small east-coast city where, it is true, gulls also wheeled and screeched in the salty air. Why then were the Oban sounds so evocative? Perhaps it was simply that the holiday was always so eagerly anticipated and that the journey was an adventure in itself. My parents never owned a car. Therefore, to travel by train, bus and the occasional taxi was entirely normal to us in the 1950s and '60s. From St Andrews we chugged across to Glasgow and boarded the overnight train on the old Callander-Oban line out of Buchanan Street Station. My sister and I were tucked up in blankets, we ate sandwiches and hard-boiled eggs and, I suppose, we must have slept. In the morning the train, as if by magic, had stopped on a broad wooden pier a stone's throw from the sea. We came out through the airy, glass-roofed station to find a porter and barrow ready to haul a month's luggage along to the North Pier. There, where smart restaurants now stand, was the ironmonger's whose motto proudly proclaimed *From a trout-fly to a steam yacht*. Inside were the faintly exotic smells of oil and varnish and coiled rope. Duncan Munro greeted us with gentle courtesy and sought out the particular fishing hooks or length of twine essential to father's island sojourn.

Then, there she was – the steamer. From the mid-19th century, a classic ring route operated out of Oban, a daily excursion around the island of Mull calling at Staffa and Iona. This was 'The Sacred Isle Cruise'. By our day, the vessel was the King George V, her red funnels and sleek prow unforgettable. To small girls she may as well have been an ocean liner: the promenade deck with its little windows stretched for miles; the saloon had white linen and silver teapots; the engine room, into which we would stare in fascination, gleamed and hummed. Many times since I have set out on this same sea-way and the memories of half-a-century ago mix with new insights and information picked up over the years. I'm now aware of those early travellers who made for the Highlands, on foot or horseback, even before the steamship age. The tour of Dr Samuel Johnson and James Boswell in 1773 is probably the best known. But, from our sitting-room walls at home, I was more familiar with the coastal voyage of William Daniell who sailed these waters in the summer of 1815. I loved the detail of his delicate aquatints: skiffs in full sail, diving birds, neat figures in frock-coats and top-hats surveying a romantic ruin. Dunollie Castle, on the north point of Oban Bay, was one of his subjects, a setting he found 'wildly beautiful'. As the ferry sweeps past, I catch a glimpse of Clach nan Con, a pillar of stone where the great hero Fingal tethered his dog Bran. Legends of the old Gaelic world are locked into these landscapes. A narrow strait separates Dunollie from the green, low-lying island of Kerrera, both strongholds of the once powerful MacDougalls of Lorne. The mountains of Argyll and Lochaber rise to the north and soon, to starboard, is the white beacon of Lismore Light. Meanwhile, off to the port side, lies the south-east end of Mull, a coastline bitten into by big mouthfuls of sea. One of these is Loch Spelve on whose shores, I now know, Lachlan Livingstone was born in 1819. Lachann Dubh a'Chrògain, as he was known, (Black Lachie of Croggan) was the last Clan bard and piper to MacLaine of Lochbuie. He made his own inter-island links, back and forth in his fishing-boat, and one of his best loved songs praised the seafaring skills of Dòmhnall an Dannsair, Donald Black of Lismore. Much older ties come to mind too. On Lismore there flourished an Early Christian monastery founded by St. Moluag, as important a missionary figure as his fellow Gael and contemporary, Columba of Iona.

At Craignure I turn left towards Fionnphort and begin to pass the road-ends for places once spotted from the steamer deck: sturdy Duart Castle, seat of Clan Maclean; Grasspoint, a former ferry-point and overnight stop for cattle-drovers bound for mainland markets, via the stepping-stone of Kerrera. I used to visit Lionel and Barbara Leslie who, in 1946 and with great ingenuity, began restoring the dilapidated shell of the Drovers' Inn. Lionel had a passion for nature well before his time. A stone seal he sculpted still lies on the rocks below the house.

A sign points to Lochbuie, with its striking circle of standing stones, and somewhere to my right is Màm a'Chlàrsair. On this hill pass one cold night, so the story goes, a Lochbuie harper burned his harp to keep his sweetheart warm, a kind but foolish gesture for by daylight she was gone, away with the young Laird. Through the big glen and another road leads off to Carsaig, where long ago a cave, marked with incised crosses, sheltered nuns from Iona. It is a delight nowadays to find, all over the islands, heritage and family history centres being set up with a great deal of local enthusiasm and native knowledge. In Bunessan and Tobermory on Mull, and on Iona, these are the starting-points for an exploration of whatever grabs your interest: historic churches or graveyards, mills or quarries, old townships or new trails rich in lore and wildlife. And it is hard to drive through Mull without humming a tune. By the road is a memorial to Dugald MacPhail who wrote the island's anthem, *An t-Eilean Muileach* (The Isle of Mull); near Bunessan stands another, to Mary MacDonald, composer of the well-loved hymn *Leanaibh an Aigh* (Child in the Manger). John Campbell, or Johnnie Chailein, called one of his own songs about Mull *Eilean Uaine nam Bàrd* (Green Isle of the Bards). He knew there had long been singers, pipers and poets galore. Johnnie lived from 1905 until 1999 yet he could make an age-old tale come alive, as if it had happened yesterday. He would talk with glee, for example, about Blàr Phort Beathain, a bloody skirmish between the Macleans and the MacPhees of Colonsay in a cove below Scoor in the Ross. As the Mull archers stole over the moor, so skilled was their bowmanship that they could slice the white heads off the slender plants of bog cotton. And the fleeing oarsmen had little chance of rowing to safety after their thumbs were hacked from the gunnels – '*nine buckets full!*' was Johnnie's triumphant finale.

At Fionnphort, where visitors leave their cars before taking the short ferry-ride to Iona, a road leads to Erraid. On holiday, that word meant a boatful of cousins and a day's picnic on a white strand, known to us all as Balfour's Bay. On my tenth birthday I was given a small leather-bound copy of Robert Louis Stevenson's *Kidnapped* and so, along with readers everywhere, I also knew that this tidal islet was where young Davie Balfour thought himself stranded. And for Stevenson himself, in 1870, Erraid was a hive of industry. Here, great slabs of granite were hewn and then towed out to the treacherous Torran reef where his father and uncle were building Dubh Artach lighthouse.

As the George left the Sound of Iona by the south, the Captain used to take her boldly through the narrows between Erraid and an outlying islet, Eilean nam Muc. My father and a friend once landed there, specifically to photograph the steamer passing through at top speed. The date was 3rd August 1939. On the back of one snapshot he added a note, *'On our way we read the paper, which was full of the Polish crisis'*. His pictures of a much loved ship became bound up with a world event that would change much for his generation, and cut some boyhood links for ever. Gaelic was my father's first language and Iona was where I first heard it spoken.

Since the days of Columba, however, the island's fame has reached far beyond Gaeldom. As a child, I wondered why so many hundreds flocked on board the George, to clamber down into the bobbing red-painted tenders for only an hour or so ashore. But even that is time enough to wander the cloister garden of the medieval Nunnery, see the restored Abbey, marvel at the flowing, intricate carving on the high stone crosses and the graveslabs of Clan Chiefs. These sites are all close together. A Gaelic proverb says: *Am fear a thèid a dh'I, thèid e trì uairean ann: the one who goes to Iona will go there three times. So, come again!* Search for greenstone pebbles at Port a'Churaich, the bay of the coracle, where Columba landed. Walk the western machair where Iron Age folk built a snug fort, monks tilled the soil and crofters grazed their cattle. Climb Dun I for an amazing view on a clear day – south to the Paps of Jura, north to the Cuillin of Skye and, beyond Coll and Tiree, west to the outline of the South Uist hills. The rock-pool near the top, Tobar na h-Aois, was a favourite childhood haunt. Below was a patchwork of rock and rigs and flower-starred turf, edged by an iridescent blue-green sea. Iona is a special place of light and colour.

The direct road from Craignure to Tobermory has splendid views of the Sound of Mull but, if you can, don't miss Mull's own north-west circle. The way winds around sea lochs, climbs a glen called for the lovely yellow flag-iris, and skirts a spectacular coastline dotted with places named by Norse settlers – Treshnish, Calgary, Dervaig. Eas Fors neatly encapsulates Mull's double linguistic legacy as Gaelic 'eas' and Norse 'fors' both mean 'waterfall'! Colourful images spring up along this route. Bodach Còir Ghleann Seilisdeir (kindly old man of the glen of the iris) was a shadowy stump of hazel, which bard James Robertson addressed in song while labouring to make ends meet. Johnnie Chailein would sing with gusto, as the bodach replied:

"James, keep your courage,
your skill lies on the sea;
There's only hardship
digging drains in the glen."

Catching sight of tiny Inchkenneth, its chapel dedicated to Cainneach, a contemporary of Columba, I imagine Boswell dancing a reel to the harpsichord-playing of Sir Allan Maclean's daughter. Dr Johnson was impressed by the cultured hospitality they received there. As Ulva comes into view – named *wolf-island* by the Norse – I think about the MacArthurs who ran a celebrated piping school there, about the hundreds who had to leave, including the father of explorer David Livingston, and about Lachlan Macquarie, the Ulva native who became an early governor of New South Wales. He is still revered as 'The Father of Australia'. And long, long before any of that, prehistoric cave-dwellers left traces of shell, flint and bone.

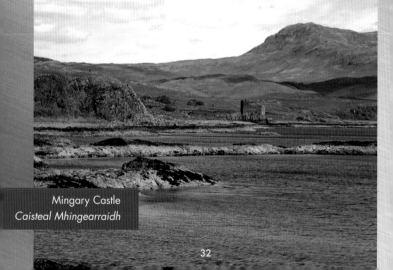

Mingary Castle
Caisteal Mhingearraidh

An occasional motor-boat expedition from Iona was to Ulva Ferry to collect a load of fence-stobs. At other times we landed on Staffa, stepping gingerly along the great big threepenny-bits of basalt rock and into the huge maw of Fingal's Cave. Artists and musicians have been inspired by the awesome grandeur of Staffa. Daniell made no less than nine drawings. Mendelssohn heard the first chords of an overture in the sound of the waves. Early visitors often had a piper with them or their boatmen chanted Gaelic iorrams, rowing songs, as they approached Fingal's Cave. Its original name was surely Uamh Bhinn 'the musical cave'. Puffins and a host of seabirds colonise the cliffs of Staffa and the outlying Treshnish Isles, while various species of whale, dolphin and shark swim the waters.

These are also grand sights.

"The great seas number seven, and I've sailed them in my day.
But there's no place nearer Heaven, than Tobermory Bay."

A verse by poet, banker and renowned raconteur, Angus MacIntyre, from 'Conversation at Tobermory Pier'. Conversationalist supreme he certainly was, often from that same pier as we leaned over the rail of the George on the way back from Iona. He and my father had been at school in Oban together, competing on the sports field or tying the shoelaces of a long-legged and long-suffering classmate to the bench in front. Angus would still be talking volubly as we edged out into that undeniably glorious bay. I can hear him yet.

From Tobermory over to Kilchoan in Ardnamurchan is the same stretch sailed by William Daniell. He engraved Mingary Castle, its stout walls commanding the waters where the mouth of Loch Sunart and the Sound of Mull meet. Daniell's ship then had to round Ardnamurchan Point, 'a bluff headland, rocky and wind-worn'. His engraving shows a skiff almost keeled over in heavy surge, her pennant a flash of red against forbidding cliffs. One spring we visited friends who had rented a former keepers cottage at the lighthouse, up on those same heights. It was exhilarating to stand right beneath the tower, built of rose-pink Mull granite. All around, the eye took in an unrivalled panorama of islands. We were at the most westerly tip of the British mainland and, far below, breakers rolled in from the deep Atlantic. I came to Ardnamurchan first through the pages of a book, Alastair

Maclean's elegiaic account of his parents' later years working the family croft at Sanna. It was the twilight of a particular way of life on a particular seaboard, recorded with honesty and in prose of enduring beauty. Majestic Ben Hiant is 'the enchanted mountain' of Ardnamurchan and there is indeed something spellbinding about this long arm of quiet land, rich in flower and wildlife, under the broad Hebridean sky. Iona monks came here too, in their curraghs. Columba baptised a child in Ardnamurchan, bringing forth a spring of water from bare rock in order to do so.

Around the rim of Loch Sunart is an ancient, broad-leaved woodland, unmatched in Britain for its extent and its conservation value. In the past, the native population skilfully managed these woods and today the Sunart Oakwoods Initiative works with local communities to protect and enhance this unique natural habitat for the benefit of all. Near Salen, for example, is a forest trail, matching trees to their old Gaelic names to form the letters of the Gaelic alphabet.

The road now heads north through the hills of Moidart, homeland of the MacDonalds of Clanranald. Lochailort marks the turn for Mallaig, running by Arisaig and the silver sands of Morar. These names! Even read from a map or on a black and white calendar photo, they spoke of romance and adventure as far back as I can remember. I first saw this rolling moorland and tree-fringed seascape for real from the carriage windows of the West Highland Line, one of the most stunning rail journeys in Britain. By road it's tempting to keep stopping, to gaze or to reflect. For this is Bonnie Prince Charlie country. At the old cemetery above Arisaig I find a board about Alasdair mac Mhaighstir Alasdair, Alexander MacDonald, buried here. The greatest of 18th century Gaelic poets, and a fervent Jacobite, Alasdair made a Song for the Prince – Charles Edward Stuart, who stepped ashore at Loch nan Uamh in July 1745:

"O hi ri ri, He is coming,
O hi ri ri, our exiled King.
Let us take our arms and clothing
and the flowing tartan plaid."

The quest to place a Stuart back on the British throne was in vain, however, and just over a year later Charles took ship for France from the same shore.

From Mallaig it's a short sail to Skye. Behind the ferry rise up, like a line of giant men, the mountains of Knoydart. On the other side of the Sleat peninsula are the ruins of Dunscaith, the fort of a warrior queen, Scàthach, to whom legendary Irish hero Cuchulainn came to learn the martial arts. Today, at Armadale pier, sun glints on the white tower of Arainn Chaluim Chille a short way along the coast. This is the campus of Sabhal Mòr Ostaig, a college that now draws students from all over the world to learn Gaelic and to study the world of the Gael. Some years ago I brought an international women's group here. From Nicaragua, South Africa and the Philippines, they talked with their Skye counterparts about keeping minority languages alive, about the lot of rural women, about their life and death struggles for a right to land. It was a moving and memorable exchange.

The car soars over the Skye Bridge. Below, the sea swirls round rocky islets and behind is the village of Kyleakin, 'Hacon's Sound'. Picture the great fleet of King Hacon of Norway, at anchor in the narrows of Loch Alsh in 1263, committed to defend his island territories against the Scottish monarchy. Soon after, the Battle of Largs would end Norwegian rule in the Hebrides.

The road by picturesque Eilean Donan Castle and Shiel Bridge runs close beneath the jagged ridges and peaks of Kintail and deep into the Highland land mass. The right turn to Invergarry brings high, sweeping vistas of loch and mountain. But, as the road descends, I am as eager to catch a glimpse of a tiny graveyard at Munergie where a huge stone lies, said to have been carried there – on his own back – by Alasdair Mòr a' Bhòchdain.

I came across the quirky tale of 'Big Sandy of the ghost' when researching song and story along the Caledonian Canal. Plagued for years by an apparition who boxed with him at every opportunity, Sandy was only free of his tormentor when he finally said out loud: *O Dhia, beannaich mi! Tha mi fas sean...Bless me! I'm getting too old for this...* The bòchdan stepped back and the spell was broken.

I travel this part of the road quite often now and never tire of it, especially in the rich colours of autumn or the pearly light of a still winter's day. For a change and for the finest view of the mighty Nevis range, I sometimes turn off at Spean Bridge and continue south by the parallel B-road from Gairlochy.

At Banavie is the imposing Neptune's Staircase, eight locks stepping down to the sea at the end of the Caledonian Canal. Many a Gaelic-speaking navvy wielded a pickaxe on these massive stone blocks. Nearby is Corpach, where the coffins of kings and chiefs were rested before continuing by galley to Iona.

The A82 hugs water most of the remaining way, through Duror and Appin, homeland of the real-life Alan Breck Stewart of Stevenson's Kidnapped. A shot fired here was the final spark of rebellion in the aftermath of Culloden. The monument to James of the Glen, hanged as accessory to the crime, stands on a knoll just above the south end of the Ballachulish Bridge. Here his bones swayed from the gibbet for years, a grim warning to remaining supporters of the Jacobite cause. It's a sombre and powerful spot.

On down through Barcaldine and Benderloch where, legend has it, Irish heroine Deirdre of the Sorrows spent an idyllic youth. With luck I may cross Connel Bridge at the ebb tide when the famed Falls of Lora cascade dramatically out of Loch Etive. To travel this Gaelic Ring is to discover myth and monument, churchmen and craftsmen, stirring history and local lore, all in a superb natural environment. From the top of Bealach an Righ (the King's Pass) — surely one of the grandest gateways into any town — it's full circle, as Oban Bay comes back into view. And, once again, I can hear the seagulls.

Mealt Falls, Kilt Rock, Skye
*An Steall, aig Creag an Fhèilidh,
san Eilean Sgitheanach*

Àireamh 7: Cuairt phearsanta as an Òban gu Muile, Àird nam Murchan agus an t-Eilean Sgitheanach

le Màiri Nicartair

'S ann air na faoileagan is fheàrr mo chuimhne. Nuair a bha mi beag b'e an sgriachail aca an comharra gu robh Bàgh an Òbain a' teannadh dlùth, am pìos mu dheireadh den turas bhliadhnail dhan àird an iar gu ruige eilean m'athar, Ì Chaluim Chille. Bha sinn air tighinn o thaobh eile na dùthcha, a baile beag air a' chost an ear far an robh faoileagan cuideachd a' sgiathalaich 's a sgiamhail. Carson ma tha a tha fuaimean an Òbain a' tighinn gu m'aire?

Is dòcha nach robh ann ach gu robh fiughair cho mòr againn ri na làithean-saora agus gu robh an turas 'na thachartas sònraichte. Cha robh càr riamh aig mo phàrantan. Mar sin bha e cumanta gu leòr dhuinn siubhal air trèana, bus agus corra thacsaidh anns na 1950ean agus '60ean. A Cill Rìmhinn rinn sinn air Glaschu agus chaidh sinn air bòrd na trèana bha dol tron oidhche air seann loidhne Chalasraid 's an Òban a Stèisean Sràid Bhochanain. Bha mo phiuthar 's mi fhèin fo phlaideachan, ag ithe cheapairean agus uighean air a' chruaidh-bhruich agus, tha min dùil, a' deanamh norrag cadail. Anns a' mhadainn bha an trèana, mar gum b'ann fo dhraoidheachd, a' stad air cidhe farsaing fiodha faisg air a' mhuir. Bha sinn a' tighinn a-mach as an stèisean mhòr le mullach glainne agus a' coimhead son portair is bara a ghiùlaineadh treallaich na mìos chun a' Chidhe Tuath. An sin, far a bheil taighean-bidhe spaideil an diugh, bha bùth a' cheannaiche-cruadhach, air an robh na briathran-suaicheantais 'O chuileag-bhreac gu long-smùide'. A-staigh bha fàilidhean annasach bho ola, falaid is cuairteagan ròpa. Bha Donnchadh Rothach a' cur fàilte oirnn gu socair modhail agus a' sireadh nan dubhan 's nan driamlach a dh'fheumadh m'athair air an eilean.

An uair sin, bha i an seo – am bàta. O mheadhan na naoidheamh linn deug, bha slighe-cearcaill a-mach as an Òban, cuairt làitheil timcheall eilean Mhuile agus a' tadhal air Staffa agus Ì. B'i seo 'Cuairt nan Eilean Naomh'. Nar latha-ne b'i Rìgh Seòras V am bàta, agus chan urrainn dhuit gun chuimhne bhith agad

37

air na funailean dearga agus an toiseach seang. Do nigheanan beaga b'e bàta mòr a bh'innte: bha an deic farsaing le uinneagan beaga a' sìneadh son mhìltean; bha an seòmar-bidhe le anart geal is poitean-teatha airgid; bha rùm an einnsean, 's sinn a' coimhead air le iongnadh, gleansach agus torghan aige.

Iomadh turas on uairsin chaidh mi air an dearbh shlighe seo agus tha cuimhneachain leth-cheud bliadhna air ais a' dol a-measg gach eòlas is fiosrachadh ùr a fhuair mi thar nam bliadhnachan. Tha mi nise mothachail air na seann luchd-siubhail air Ghàidhealtachd, a' coiseachd 's a' marcachd, mus robh guth air bàtaichean-smùide. Tha mi creidsinn gur i a' chuairt aig an Ollamh Somhairle Maclain agus Seumas Boswell ann a 1773 air an eòlaiche daoine. Ach, o bhallachan an t-seòmair-suidhe againn aig an taigh, bha mise na b'eòlaiche air an turas-cuain aig Uilleam Daniell mu na cladaichean seo ann an samhradh 1815. Bha mi measail air na dealbhannan grinn agus mionaideach aige: sgothan fo làn-sheòl; eòin a' plumadh; daoine snasail le còtaichean fada agus adan àrda a' coimhead le cianalas air seann tobhta. 'B'e Caisteal Dhùn Ollaich, aig ceann a tuath Bàgh an Òbain, aon de na cuspairean aige; bha e 'ga fhaighinn 'fiadhaich bòidheach'. Nuair a tha am bàta dol seachad chi mi plathadh de Chlach nan Con, stalla far an do chuir an curaidh Fionn taod air a chù Bran. Tha sgeulachdan an t-saoghail Ghàidhlig bho shean glaiste anns na cùiltean seo. Tha caolas cumhang eadar Dùn Ollaich agus eilean uaine ìosal Chearraraidh, a bha le chèile nan ionadan daingneachd aig Dùghallaich chumhachdach Latharna.

Tha beanntan Earraghàidheil is Lochabair ag èiridh mu thuath agusa a dh'aithghearr, air an deas-bhòrd, chi thu taigh-soluis Lios Mòr. Air do làimh-chlì tha ceann an earra-dheas Mhuile, cladach as an tug an cuan greimeannan mòra. 'S e Loch Spealbhaidh fear dhiubh. 'S ann air a chladaichean, mar tha fios agam a-nis, a rugadh Lachann MacDhùnlèibhe ann an 1819. B'e Lachann Dubh a' Chrògain, mar a chante ris, am bàrd agus am pìobaire-cinnidh mu dheireadh a bha aig MacIll'Eathain Locha Buidhe. Rinn e a cheanglaichean fhèin eadar na h-eileanan, air ais 's air adhart anns a' bhàt'-iasgaich aige, agus tha daoine fìor mheasail air an òran a rinn a' moladh nan sgilean marachd aig Dòmhnall an Dannsair, Dòmhnall Mac Ille Dhuibh a Lios Mòr. Tha ceanglaichean mòran nas aosta a' tighinn gu m'inntinn cuideachd. Air Lios Mòr bha manachainn tràth anns an linn Chrìosdaidh, a stèidhich Naomh Moluag, a bha cho cudromach mar theachdaire 's a bha a' cho-aoise Calum Cille. Aig Creag an Iubhair tha mi tionndadh chun na làimhe clì gu Fionnaphort agus a' dol seachad air na cinn-rathaid a dh'àiteachan a chitheadh tu aig aon àm bhon a' bhàta: caisteal calma Dhubhaird, àros nan Leathannach; Rudha an Fheòir, far am b'àbhaist an t-aiseag a bhith a' tadhal agus far am biodh na dròbhairean a' stad son na h-oidhche air an rathad gu na margaidhean air tir-mòr, air an turas tro Chearrara.

Bhithinn a' tadhal air Lionel agus Barbara Leslie a thòisich, ann an 1946, gu h-innleachdach ag ath-nuadhachadh tobhta taigh-òsda nan dròbhairean. Bha meas mòr aig Lionel air obair-nàdair mus do dh'fhàs sin fasanta. Tha ròn a dhealbhaich e a cloich fhathast air na creagan fon taigh. Tha soidhne a' comharrachadh na slighe gu Loch Buidhe, le a chearcall neo-àbhaisteach de thursachan, agus an àit-eigin gu mo làimh dheas tha Màm a' Chlàrsair. Air a' bheinn seo aon oidhche fhuar, a-reir na sgeòil, loisg clàrsair à Loch Buidhe a chlàrsach gus a leannan a chumail blàth, euchd laghach ach luideach oir ro mhadainn cha robh sgeul oirre, 's i air teicheadh leis an uachdaran òg. Tron ghleann mhòr tha rathad eile dol gu Càrsaig, far an robh, o chionn fhada, croisean air an gràbhaladh 's a' chreig ann an uamha bha toirt tearmann do mhnathan-cràbhaidh à Ì Chaluim-Chille.

Tha e tlachdmhor an diugh a bhith faighinn, air feadh nan eilean, ionadan dualchais is eachdraidh teaghlaich air an giollachd gu dealasach le muinntir an àite agus le eòlas dùthchasach. Am Bun Easain agus Tobar Mhoire am Muile, agus an Ì, sin far an tòisich thu a' cnuasachd nan cuspairean anns a bheil ùidh agad: eaglaisean eachdraidheil no ionadan-adhlacaidh, muilnean no cuairidhean, seann bhailtean no lorgan ùra loma-làn le ionmhas de aithris agus eòlas nàdair. Chan eil e furasta a dhol tro Mhuile gun a bhith crònan port air choireigin. Ri taobh an rathaid tha cuimhneachan air Dùghall MacPhàil a rinn an t-òran ainmeil *An t-Eilean Muileach*. Faisg air Bun Easain tha cuimhneachan eile, air Màiri NicDhòmhnaill, a rinn an laoidh *Leanaibh an Àigh* air a bheil daoine cho measail. Thug Iain Caimbeul, Seonaidh Chailein, *Eilean Uaine nam Bàrd* mar ainm air fear de na h-òrain a rinn e fhèin mu Mhuile. Bha fios aige gu robh seinneadairean, pìobairean is bàird lìonmhor fad iomadh lìnn.

Bha Seonaidh beò eadar 1905 agus 1999, agus chuireadh e dreach frogail air seann sgeul, mar gum b'ann an dè a thachair i. Mar eiseamplair, bhiodh e bruidhinn le suigeart mu Bhlàr Port Beathain, arrabhaig fhuilteach eadar Clann Ill'Eathainn agus Clann a' Phì Cholbhasaidh ann am bàgh fo Sgùrr anns an Ros Mhuileach. Nuair a bha na boghadairean Muileach ag èaladh tarsainn a' mhonaidh, bha iad cho ealanta le na boghannan 's gun sliseadh iad na cinn gheala far canach an t-slèibhe. Agus cha robh mòran cothraim aig an fheadhainn a bha teicheadh air na bàtaichean iomradh gu tèarainteachd an dèidh na h-òrdagan a sgudadh dhiubh – 'làn naoi cuinneagan!' chanadh Seonaidh aig crioch na stòiridh.

Aig Fionnaphort, far a bheil an luchd-turais a' fàgail an càraichean mus tèid iad air an aiseag ghoirid gu Ì, tha rathad gu eilean Earraid. Air làithean-saora, bha am facal sin a' ciallachadh dhuinne làn bàta de cho-oghaichean agus cuirm-cnuic air tràigh gheal, a dh'aithnicheamaid uile mar Bàgh Balfour. An latha bha mi deich bliadhna dh'aois fhuair mi leth-bhreac beag ann an còmhdach leathair de Kidnapped aig Raibeart Louis Stevenson agus, cleas an luchd-leughaidh anns gach àite, bha fios agam gur ann air an eilean bheag seo a bha Daibhidh Balfour òg a' smaoineachadh a chaidh fhàgail. Agus do Stevenson fhèin, ann an 1870, 's e àite dripeil a bh'ann an Earraid. An seo bhathar a' gearradh leacan mòra de chloich-ghràin a bha air an draghadh a-mach gu sgeir chunnartach an Torrain far an robh athair agus brathair athar Raibeirt a' togail taigh-soluis an Dubh Heartaich.

Nuair a dh'fhàgadh an George caolas Ì aig an taobh deas, bhiodh an sgiobair 'ga stiùireadh gu dàna tro na caoil chumhang eadar Earraid agus Eilean nam Muc. Chaidh m'athair agus caraid air tìr ann aon uair, a tharraing dealbh den bhàta a' dol tron chaol cho luath 's a b'urrainn dhi. B'e an treas latha den Lùnasdal 1939 a bh'ann. Air cùl te de na dealbhannan sgrìobh e: 'Air ar slighe leugh sinn am pàipear-naidheachd, a bha làn de chàs na Pòlainne'. Chaidh na dealbhannan aige den bhàta air an robh daoine cho measail fhilleadh ri tachartas eadar-nàiseanta a dheanadh atharrachadh mòr air a' ghinealach aige, agus a bhriseadh cuid de na bannan ri saoghal na h-òige gu bràth tuilleadh.

B'i Gàidhlig a' chiad chànan aig m'athair agus b' ann an Ì a chuala mise i an toiseach. O àm Chaluim Chille bha cliù an eilein air a dhol fada thar chriochan na Gàidhealtachd. Mar phàisde, bhiodh e cur iongnaidh orm carson a bha na ceudan air bòrd an George agus a' dol sios dha na h-eathraichean beaga dearga son a bhith air tìr son uair a thìde. Ach tha sin 'na ùine gu leor son a dhol timcheall air cill-mhanach na meadhan-aoise, an abaid fhaicinn an dèidh a h-ùrachadh, coimhead le annas air a' ghràbhaladh air na croisean àrda cloiche agus leacan-uaghach nan ceann-cinnidh. Tha na làraich sin uile faisg air a chèile.

Tha seanfhacal ag ràdh: Am fear a theid a dh'Ì, theid e trì uairean ann. Till a-rithist, ma tha! Coimhead son molagan uaine aig Port a' Churaich, far an tàinig Calum Cille air tìr. Coisich air a' mhachair an iar far an do thog muinntir Aois an Iaruinn dùn seasgair, far an robh na manaich ag àiteach na talmhainn, agus far an robh na croitearan a' feurach a' chruidh. Dìrich Dùn Ì agus faic sealladh iongantach air latha soilleir – deas gu Màman Dhiùra, tuath gu Cuiltheann an Eilean Sgitheanaich agus, seachad air Colla is Tiridhe, an iar gu beanntan Uibhist a Deas air fàire. Nar cloinn bu toigh leinn Tobar na h-Aoise, fuaran anns a' chreig faisg air mullach an dùin. Gu h-ìosal bha breacadh de chreagan, feannagan is talamh flùranach, agus muir dheàrrsach ghorm is uaine. Tha Ì sònraichte son solus is dath.

Air an rathad eadar Creag an Iubhair agus Tobar Mhoire tha seallaidhean eireachdail de Chaol Mhuile ach, mas urrainn dhuit idir, na caill cearcall an iar-thuath Mhuile fhèin. Tha an rathad a' suaineadh timcheall air lochan mara, a' dìreadh gleann a tha air ainmeachadh air an t-seilisdeir bhòidheach bhuidhe, agus a' cuartachadh iomall-fairge iongantach làn ainmeannan o na Lochlannaich a thuinich an seo – Treiseanais, Calgaraidh, Dearbhaig. Tha Eas Forsa a' toirt a-steach dualchas dà-chànanach Mhuile, oir tha am facal Gàidhlig 'eas' agus am facal Lochlannach 'fors' le chèile a' ciallachadh leum-uisge. Tha iomhaighean dreachmhor rim faicinn air an t-slighe seo. 'S e stocan sgàileach calltainn a bh'ann am Bodach Còir Ghleann Seilisdeir, dhan do rinn am bàrd Sèamas MacDonnchaidh òran agus e strì ri beò-shlàint' a dhèanamh.

Bhiodh Seonaidh Chailein 'ga sheinn le faram, 's am bodach a' freagairt:

"O Shèamais glac do mhisneach
'S ann air a' chuan tha sgil agad;
O chionn 's chan eil thall ach cruaidh-chàs
San drèin th'ann an Gleann Seilisdeir."

Nuair a chì mi Innis Chainnich bheag, le a chaibeal coisrigte do Chainneach co-aoise Chaluim Cille, tha mi smaoineachadh air Boswell a' dannsa ruidhle ri ceòl na cruit-chòrda aig nighean Shir Ailean MacIll'Eathainn. Chòrd an aoigheachd shìobhalta a fhuair iad ris an Ollamh Maclain. Nuair a nochdas Ulbha – air an tug na Lochlannaich 'eilean a' mhadadh-allaidh' – smaoinichidh mi air Clann 'ic Artair aig an robh sgoil phìobaireachd ainmeil ann, air na ceudan a b'fheudar an t-eilean fhàgail, nam measg athair an fhir-siubhail Daibhidh MacDhùnlèibhe, agus air Lachlainn MacGuaire, a bhuineadh do dh'Ulbha agus a bha na riaghladair air New South Wales. Tha e fhathast a' faighinn urram mar 'Athair Astràlia'. Agus fada fada roimhe sin, an àm ro-eachdraidh, dh'fhàg feadhainn a bha còmhnaidh ann an uamhannan lorg air rudan air an deanamh air sligean, spor is cnàmhan.

Corra uair rachamaid air bàta a Ì gu Aiseag Ulbha a dh'iarraidh fiodh feansa. Uaireannan eile rachamaid air tìr ann a Staffa, a' coiseachd gu faiceallach air na clachan basailt a bha air chumadh bonn thrì sgillinn agus a-steach a' chraos mòr Uamha Fhìnn. Tha mòrachd uabhasach Staffa air buaidh nach beag a thoirt air luchd-ealain is luchd-ciùil. Rinn Daniell co-dhiùbh naoi dealbhannan. Chuala Mendelssohn a' chiad thèudan de roi-cheòl ann am fuaim nan tonn. An toiseach bhiodh pìobaire an cois luchd-tadhail no bhiodh sgioba a' bhàta a' gabhail iorraman Gàidhlig, orain iomraidh, dhaibh nuair a bha iad a' tighinn faisg air Uamha Fhìnn. Is cinnteach gur e an Uamha Bhìnn a bha air an toiseach – an uamha cheòlmhor.

An Rìgh Seòras V
King George V

42

Tha bughaidean agus mòran eòin-mhara eile air bearraidhean Staffa agus Eileanan Threisnis, agus tha caochladh sheòrsa de mhucan-mara, leumadairean is cearbain anns na h-uisgeachan. Tha iadsan taitneach rim faicinn cuideachd.

"The great seas number seven, and I've sailed them in my day.
But there's no place nearer Heaven, than Tobermory Bay."

Sin rann a rinn am bàrd, bancair is sgeulaiche Aonghas Mac an t-Saoir ann an 'Còmhradh aig Cidhe Thobar Mhoire. Bha e sònraichte math air seanchas agus is tric a dh'èisd sinn ris 's sinn 'nar seasamh ris an rèile anns an George air an rathad air ais a Ì. Bha e fhèin is m'athair air a bhith còmhla anns an sgoil 's an Òban, a' farpais air an raon-chluiche no a' ceangal nam barrall-bhròg aig siochaire balaich ris an t-suidheachan air am beulaibh.

Bhiodh Aonghas a' bruidhinn gu lùthmhor agus sinn ag èaladh a-mach dhan a' bhàgh bhriagha. Tha mi fhathast 'ga chluinntinn.

'S i an t-slighe eadar Tobar Mhoire agus Cille Chòmhghain an Àird nam Murchan an dearbh thè air an do sheòl Uilleam Daniell. Ghràbhail e Caisteal Mhìoghairidh, le a bhallachan làidir os cionn nan uisgeachan far a bheil beul Loch Suaineart agus Caol Mhuile a' coinneachadh. B'fheudar do bhàta Daniell an uairsin a dhol timcheall Rudha Àird nam Murchan, 'rudha maol, creagach is gaothach'. Tha an gràbhaladh a' sealltainn sgoth 's i cha mhòr air a cliathaich ann an suaile throm, a bratach mar lasair dhearg air aghaidh grìp gruamach.

Aon earrach thadhail sinn air càirdean aig an robh seann dachaidh muinntir an taigh-sholuis air mhàl, shuas air na bearraidhean àrda sin. Thug e togail dhuinn a bhith a' seasamh direach fon tùr, air a chur ri chèile le clach-ghràin ròs-bhuidhe Mhuile. Mòr-thimcheall oirnn chitheadh tu sgaoilteach gun choimeas de eileanan. Bha sinn aig an oir a b'fhaide an iar de mhòr-thìr Bhreatainn agus, fada fodhainn, bha na barc-thonnan a'tòcadh a-steach a doimhneachd a' Chuain Shiar. Thàinig mi a dh'Àirdnamurchan an toiseach tro dhuilleagan leabhair, a' chunntas thiamhaidh aig Alasdair MacIll'Eathainn air a phàrantan ag obrachadh na croite ann an Sanna 'nan seann aois. B'e seo ciaradh an latha a' tighinn air seòl-beatha air cladach àraidh, air a chlàradh le ionracas agus ann an

43

rosg anns a bheil loinn mhaireannach. Tha Beinn Shianta Àird nam Murchan fo gheasaibh gun teagamh agus tha rudeigin draoidheil mun a' ghàirdean fhada fearainn seo, saoibhir le flùraichean is beathaichean is eunlaith, fo adhar leathann Innse Gall. Thàinig manaich Ì an seo cuideachd, anns na curachan. Bhaist Calum Cille leanabh an Àird nam Murchan, agus gus seo a dhèanamh thug e fuaran uisge as a' chreig luim.

Timcheall iomall Loch Suaineirt tha seann choille mhòr-dhuilleagach a tha gun shamhail am Breatann ann am meudachd agus ann an luach glèidhteachais. Anns na làithean a dh'fhalbh bha muinntir an àite gu sgileil a' giollachd nan coilltean seo, agus an diugh tha Iomairt Coilltean Daraich Shuaineirt ag obair an co-bhuinn ri coimhearsnachdan na sgìre gus an àrainn àraid seo a dhìon agus a leasachadh chum buannachd nan uile. Faisg air an t-Sàilein, mar eiseamplair, tha slighe coille far a bheil seann ainmean Gàidhlig nan craobhan air an cleachdadh son an aibidil Ghàidhlig a chruthachadh. Tha an rathad a-nis a' dol gu tuath tro bheanntan Mhùideart, dachaidh Dhòmhnallaich Chloinn Ràghnaill. Aig Loch Ailleart tha an lùb gu Malaig, a' dol seachad air Àrasaig agus air gainmheach airgeadach Mhòrair.

Na h-ainmean ud! Fiù's 'gan leughadh air map no air dealbh ann am miosachan dubh is geal, bha iad a' bruidhinn air tachartasan romansach agus deuchainneach on is cuimhneach leam. Chunnaic mi an toiseach am monadh sgaoilte seo agus na craobhan ri oir a' chladaich a-mach air uinneag na carbad-trèana air Loidhne Siar na Gaidhealtachd, te de na sgrìoban as sgiamhaiche air rathad-iaruinn sam bith am Breatann. Ma tha thu ann an càr tha thu air do bhuaireadh gus stad a-rithist 's a-rithist, a dh'amharc no a mheòmhrachadh. Oir seo tìr a' Phrionnsa Teàrlach.

Anns an t-seann chladh os cionn Àrasaig lorgaidh mi clàr fiodha mu Alasdair Dòmhnallach, Alasdair mac Mhaighstir Alasdair, a tha air a thiodhlacadh an seo. Am bàrd Gàidhlig a b'fheàrr anns an ochdamh linn deug, agus Seumasach gu 'chùl, rinn Alasdair Òran a' Phrionnsa – Teàrlach Eideart Stiùbhart a thàinig air tìr aig Loch nan Uamh anns an Iuchar 1745:

"O hì ri rì, tha e tighinn,
O hì ri rì, 'n Rìgh tha uainn.
Gheibheamaid ar n-airm 's ar n-èideadh,
'S breacan an fhèilidh an cuaich."

Ach cha do shoirbhich leis an iomairt gus Stiùbhartach a chur air ais air righ-chathair Bhreatainn, agus beagan is bliadhna an dèidh sin fhuair Teàrlach bàta air ais dhan Fhraing air an aon chladach.

A Malaig tha aiseag goirid dhan Eilean Sgitheanach. Air cùl a' bhàt'-aisig, mar sreath fhuamhairean, tha beanntan Chnòideirt. Air taobh eile ceann-tìre Shlèibhte tha tobhtaichean Dhùn Sgàthaich, an daingneach aig a' bhan-rìgh ghaisgeil Sgàthach, gun tàinig an laoch ainmeil Èireannach Cuchulainn a dh'ionnsachadh ealain na saighdearachd. An diugh, aig cidhe Armadail, tha gathan na grèine a' deàrrsadh air Àrainn Chaluim Chille astar beag air falbh. Seo far a bheil Sabhal Mòr Òstaig, a' cholaisde tha tàladh oileanach o fheadh an t-saoghail a dh'ionnsachadh Gàidhlig agus dualchas is eachdraidh nan Gàidheal. O chionn beagan bhliadhnaichean thug mi còmhlan bhoireannach eadarnàiseanta an seo. Bha iad a Nicaragua, Aifreaga a Deas agus na Philippines, agus bhruidhinn iad ri muinntir an eilein mu bhith cumail mhion-chànain beò, mu chor bhoireannach air an tuath, agus mu spàirn gus còraichean fearainn fhaotainn. B'e conaltradh drùidhteach a bh'ann agus mairidh e air chuimhne.

Tha an càr a' dol tarsainn air Drochaid an Eilean Sgitheanaich. Shios fodhainn tha a' mhuir 'na cuartagan mu na creagan agus air ar cùlaibh tha baile Chaol Àcainn, caolas Haco. Smaoinich air a' chabhlach mhòr aig Haco, Righ Lochlainn, air acair an caolas Loch Aillse ann an 1263, deiseil gus am fearann eileanach a dhìon an aghaidh crùn Alba. Goirid an dèidh seo chuir Blàr na Leargaidh crioch air riaghladh Lochlainn air na h-Eileanan Siar.

Tha an rathad seachad air Caisteal Eilean Donnain agus Drochaid Sheile fo sgòr-bheannan Chinn t-Sàile agus a' dol domhainn ann an mòr-mhonadh na Gàidhealtachd. A' tionndadh gu do làimh dheas gu ruige Inbhir Garadh gheibh thu sealladh air sgaoilteach de bheanntan àrda is lochan. Ach, nuair a tha an rathad a' cromadh, tha mi cheart cho deònach sùil fhaighinn air cladh beag aig Moneargaidh far a bheil clach mhòr a thug, a-rèir aithris, Alasdair Mòr a' Bhòchdain ann air a dhruim. Thurchair mi air sgeulachd Shandaidh Mhòir nuair a bha mi rannsachadh òrain is sgeulachdan air slighe Seòlaid a' Ghlinne Mhòir. Air a chlaoidh fad bhliadhnaichean le taibhs a bha sabaid ris aig a h-uile cothram, cha d'fhuair Sandy caoidhteas an fhir a bha 'ga lèireadh gus an do dh'èigh e àird a' chlaiginn:

'O Dhia, beannaich mi! Tha mi fàs sean...' Sheas am bochdan air ais agus bha a' gheasachd seachad.

Tha mi siubhal na pàirt seo den rathad gle thric a-nis agus chan fhàs mi sgith dhe, gu h-àraidh ann an dathan saidhbhir an fhoghair no solas neamhnaideach latha ciùin geamhraidh. Uaireannan, son caochladh seallaidh fhaicinn agus gu h-àraidh an sealladh as fhearr air monadh mòr Nibheis, tionndaidhidh mi gu deas aig Drochaid an Aonachain air an taobh-rathad a Gearrlòchaidh. Aig Banabhaidh tha Staidhre Neptune, ochd ceumannan-uisge sios chun na mara aig ceann Seòlaid a' Ghlinne Mhòir. Is iomadh nabhaidh le Gàidhlig a thug slaic le piocaid air na clachan mòra sin. Faisg air tha a' Chorpaich, far am biodh cisteachan-laighe nan rìghrean 's nan cinn-feadhna a' stad mus rachadh iad air birlinn gu ruige Ì.

Tha an A82 ri taobh an uisge son a' mhòrchuid den t-slighe th'air fhàgail, tro Dhiùrar is an Apainn, dachaidh an fhir air an robh Ailean Breac Stiùbhart ann an leabhar Stevenson Kidnapped air a stèidheachadh. B'e urchair a chaidh a losgadh an seo an t-sradag cheannairceach mu dheireadh an dèidh Chùil-lodair. Tha carragh-cuimhne Sheumais a' Ghlinne, a chaidh a chrochadh airson na h-eucoir, air cnoc dìreach os cionn ceann a deas Drochaid Bhaile Chaolais. Bha a chnàmhan a' tulgadh fon a' chroich fad iomadh bliadhna, mar rabhadh cruaidh do dhaoine bha fhathast a' cur taice ri cùis nan Seumasach. 'Se ionad sòlaimte agus cumhachdach a th'ann.

Sios tro Bharra Calltainn is Meadarloch far, a-rèir aithris, an do chuir Deirdre nan Deur, a bhana-ghaisgeach Èireannach, seachad laithean sona a h-òige. Ma bhios e an dàn dhomh is dòcha gun tèid mi tarsaing air Drochaid Choingheil aig tràghadh an làin nuair a bhios easan ainmeil Lòra a' dòrtadh a-mach le sraon a Loch Èite. Air a' Chearcall Ghàidhlig seo lorgaidh neach uirsgeul is uaigh, fir-eaglais agus fir-ceàirde, eachdraidh agus eòlas, uile ann an àrainneachd nàdair a tha miorbhaileach.

O mhullach Bealach an Rìgh – agus caite 'n teid thu steach do bhaile air doras cho flathail? – tha thu aig deireadh a' chearcaill, le Bàgh an Òbain air ais 'na do shealladh. Agus, aon uair eile, tha mi cluinntinn nam faoileagan.

Bàgh an Òbain
Oban Bay

Route 11: Fort William to Mallaig, Skye, North Uist, Berneray, Harris, Lewis and Ullapool by Brian Wilson

A native of Argyll, whose first island journeys were to his mother's native Islay. As founding editor of the *West Highland Free Press*, based on Skye, he campaigned on a wide range of issues affecting west coast communities. Brian was a Labour MP for 18 years and in 1997 became Minister of State at the Scottish Office, turning some of his ambitions on issues like land reform and the status of Gaelic into government action. He held five Ministerial posts before leaving politics in 2005. Brian now lives with his family in the Uig area of Lewis and is a Director of several companies.

Broch at Dun Carloway
Dùn Chàrlabhaigh

Route 11: A personal Journey from Fort William to Mallaig, Skye, North Uist, Berneray, Harris, Lewis and Ullapool

by Brian Wilson

By the time you reach Fort William, the starting point for our journey, you are certain to have travelled through some wild and inhospitable terrain. It is not difficult, amidst the grandeur, to imagine that in times past this must have been rebel territory with plenty opportunities for the native population to challenge the stamp of legal authority. And that is exactly the reason for Fort William having been established and for the most un-Gaelic of names that it bears. Actually, you will not often hear Highlanders giving the town its full name. It is, in common parlance, 'the Fort' which is the literal equivalent of its Gaelic name, An Gearastan. But very unusually in this part of the world, the English name pre-dated the Gaelic one. Fort William was named after King William of Orange in 1690. The original military encampment was at Inverlochy, a few miles outside the present-day town. Over the following century, which embraced two unsuccessful Jacobite rebellions, Fort William became a crucial base in the efforts of the British authorities to suppress those Clans who were committed to the Jacobite cause and the overthrow of the Hanoverian monarchy. Lochaber – the wider district around Fort William – suffered terrible repression following the failure of the 1745 uprising. It was this purge of everything in the Highlands that smacked of dissidence – notably the language and culture of the Gael – that speeded the long process of transformation to a more anglicised society.

That transition is reflected today in Fort William. It is a cosmopolitan tourism centre yet it still retains some aspects of Highland identity. Shinty – the Highland cousin to Ireland's hurling – is the favoured local sport. Gaelic is still spoken by around ten per cent of the population of Fort William and its hinterland, though many of them are people from the islands of the west who have drifted towards one of the major growth points of the region. The music and song of the Gael are still very much alive. Lying in the shadow of Ben Nevis – the highest mountain in the United Kingdom – Fort William is a centre for climbing and other outdoor pursuits. The same steep-sided mountains made it the ideal home for an aluminium smelter, driven by its own supply of hydro-electricity. Fort William is thus one of the few towns in the Highlands which has long experience of heavy industry. There is also a distillery, located just as you are heading north out of the Fort and looking for the sharp left turn that takes you in the direction of Mallaig and the islands of the west.

But first there is a dazzling drive through this hinterland of Lochaber. Until recently, this was a mainly single-track road that even the most experienced drivers could find daunting – especially when fish lorries en route from Mallaig to the markets of the south were hurtling along in the other direction! Now, though the road has improved beyond recognition, it is still worth taking plenty of time to enjoy the breathtaking scenery, the historical landmarks and the attractive villages which accompany this part of the journey.

Stop at Glenfinnan and take in the memorial which marks the spot at which Bonnie Prince Charlie – Charles Edward Stuart – raised his standard, claimed the British throne for his father and rallied the clans for the ill-fated Jacobite rebellion of 1745. Eight months later, after Culloden, he was conveyed from this same place to exile in France. As many Highland Clans were opposed to the Jacobites as supported them. This part of the Highlands had remained true to the old religion – Catholicism – while most of Scotland succumbed to the Protestantism of the 16th century Reformation. So it was a natural area for the Jacobites to look for support.

But Glenfinnan is also notable for another structure – the stunning railway viaduct which carries the West Highland Line. More than 1200 feet long and made up of 21 arches, it was built by the construction firm of Robert MacAlpine around the turn of the last century. A nearby cemetery contains some of the Irish navvies – 'MacAlpine's Fusiliers' – who worked and died while building the Line in primitive conditions. That was grim reality – but the viaduct will also look familiar to devotees of the Harry Potter movies in which it featured strongly as a backdrop to the Hogwart's Express!

This road is bordered by a string of attractive villages – Lochailort, Arisaig, Morar and then the busy port of Mallaig, from which the Caledonian MacBrayne ferry sails regularly to Armadale on the Isle of Skye. For more adventurous spirits, there are also smaller ferries which serve the islands of Eigg, Rum, Muck and Canna – each of which has a rich identity. Eigg, after decades of neglect by absentee landowners, became the home to one of the most high-profile community buy-outs in recent years. Rum and Canna are now both owned by the National Trust for Scotland and have handfuls of full-time residents. But most of you will head straight for Skye. This route is the romantic alternative to the bridge which, further up the coast, links Kyle of Lochalsh and Kyleakin. The reward is that the ferry takes the visitor straight into the 'Garden of Skye' – the Sleat peninsula which you might otherwise miss. Here you must stop to visit one of the most remarkable educational institutions in the British Isles – Sabhal Mòr Òstaig, Scotland's Gaelic college which provides degree-level education through the medium of the language. Founded in an old steading little more than 30 years ago, Sabhal Mòr Òstaig has developed into one of the most attractive campuses in the country, set within an unrivalled environment.

Sabhal Mòr Òstaig, and the presence of a student population, has helped to create a very different atmosphere from most of the West Highlands and Islands. There is a lot of Gaelic around and you can be pretty sure of finding a good ceilidh in one of the local halls or hotels. But Sleat has many other attributes including several unusually excellent hotels. Traditionally, this was MacDonald territory and that history is embedded in the Clan Donald Centre, just a few miles from the ferry terminal at Armadale. This project – which includes beautifully maintained gardens – was largely funded by an American, Ellice MacDonald of Delaware, whose grandfather was from Glencoe.

When Sleat's many attractions have been exhausted, you turn left and head towards Broadford. This is home to the *West Highland Free Press* of which I was founding editor in the early 1970s and which still remains true to the motto that we borrowed from the old Highland Land League:

"An Tir, An Canan 'sna Daoine
The Land, the Language and the People."

The paper circulates mainly in Skye, the neighbouring mainland and the Outer Isles and will keep visitors as well as locals abreast of a news agenda which is distinctly different from the one that prevails in most of the country!

Issues related to the land – how it is owned, occupied and used – are central to the history and present day existence of all these communities. The dominant form of tenure is called crofting which was enshrined in law during the 1880s in order to give people security over their smallholdings, against the threat of eviction by landlords. By the time this legislation was won, much of the Gaelic-speaking population had been dispersed to the four corners of the globe and most of the land was under sheep and deer. The curious distribution of population that exists down the present day – with small villages huddled close to the coastal fringes – is a direct legacy of that dark era.

Although the Highlands never had the violence against landowners that characterised Ireland in the same period, there was indeed a Highland Land War and troops were deployed on numerous occasions in the islands during the latter stages of the 19th century. As you approach Portree, the main town on Skye, you will pass on your right a road-sign pointing to Braes and that area of the island was at the centre of one of the seminal events in forcing the Government's hands over crofting legislation. In 1882, the people of Braes rose up against the landowner, Lord Macdonald, when he sought to remove them from the grazings of Ben Lee. Troops were dispatched to the island to quell the insurrection and similar resistance was sparked off throughout the Highlands and Islands.

Even before you reach Braes, you will have passed the Caledonian MacBrayne ferry terminal at Sconser from which it is more than worthwhile to take a detour to the fabulous island of Raasay. Mentioning to a friend who lives there that I was just back from New York, he provided me with the fascinating fact that Manhattan is smaller than Raasay – with its population of 150! But though the population is tiny, this too is an island steeped in history and Gaelic folklore. It is fronted by Raasay House, which has recently come into community ownership after a chequered history.

Thirty years ago, Raasay was constantly in the news because of the eccentric activities of an absentee proprietor who was a retired doctor living in Cooden, Sussex. For reasons that defied understanding, he bought all the major properties on the island and then allowed them to fall into utter disrepair. Although he very rarely visited the island, he succeeded for years in obstructing the construction of a ferry terminal. The story of Dr Green and Raasay became a latter-day cause célèbre in the whole land debate, illustrating the power that a single individual could hold over a whole fragile community.

Raasay was the birth-place of Sorley MacLean, the greatest Gaelic poet of the 20th century and held by many – including Seumas Heaney, who translated his great work *Hallaig* – to stand in the first rank of European poets of his generation. Sorley was a schoolteacher by profession and spent many years as a much-loved headmaster of Plockton High School, on the mainland, before retiring to Braes – within sight of his beloved Raasay. He died in 1996 but is perhaps more widely read now than he ever was in his lifetime; not least because the Sorley MacLean Trust has established a website at www.somhairlemacgilleain.org/English If you are fortunate enough to wake up on Skye with a beautiful partner on a balmy summer's morning, that would be a good moment to contemplate Sorley's imagery in Camhanaich/Dawn:

"You were dawn on the Cuillin
and benign day on the Clarach,
the sun on his elbow in the golden stream
and the white rose that breaks the horizon.

Glitter of sails on a sunlit firth
blue of the sea and the aureate sky,
the young morning in your head of hair
and in your lovely cheeks."

Portree has grown into a fair-sized town over the past 30-odd years since I first knew it. By this time you might have noticed that a fair proportion of the road signs that have guided you on your journey are bilingual and this is now something that is taken for granted in any sensible society, respectful of its dual cultural identity. But it wasn't always so. The first Gaelic signs in Skye, which are at the entrance to Portree, were bitterly contested by the local authority – then Inverness County Council – when they were argued for in the early 1970s by Iain Noble, a very unusual local landowner who had learned Gaelic and made it a condition of selling the land for road improvements that the signs erected on it would be bilingual. Eventually, he won the day and a significant breakthrough, from which much else flowed, was achieved. Amidst the bustle of Portree, look out for some interesting plaques on the walls of local hotels and public buildings. One of them, at the Rosedale Hotel, commemorates Màiri Mhòr nan Òran – the bard – and another, of particular interest to Irish visitors, recalls the part played by Michael Davitt – founder of the Irish Land League – in supporting the crofters' movement of the late 19th century. Indeed, the staunchly Presbyterian crofters of Skye asked Davitt, a Catholic and republican, to be their Parliamentary candidate after he had addressed a great rally from the balcony of the Portree Hotel in Somerled Square!

Time now to head for the ferry at Uig and, from long experience, my strong advice is to leave plenty time for this stretch of the journey. This can be a very long 15 miles on a busy summer's day. And then when you get to Uig, with those magnificent views of the bay beneath, beware of an optical illusion. Somehow or other, the Caledonian MacBrayne ferry always looks as if it is on the verge of departing and there is a temptation to speed down into the village, out of concern that you have made a mistake about the ferry time. Believe me, you haven't – so enjoy the view! This is my favourite of all the west coast ferry journeys. Not too short and not too long with fabulous views of Skye's north end before we sweep out across the Little Minch to Tarbert or – as on this occasion – Lochmaddy in North Uist. I also have the fondest memories of the previous vessel to operate this route, the old MV Hebrides and its great crew of island seamen – all of whom had travelled the world in the deep-sea Merchant Navy. The timetables are a bit tighter these days and there is not so much time for yarns, but the magic of this crossing remains intact.

Lochmaddy is a pleasant village with one great asset – the award-winning arts centre, Taigh Chearsabhagh, which has been operating since 1995. 'Chearsabhagh' is a Gaelicisation of the old Norse name for the village. There are always exhibitions of general interest and a fine small museum as well as an excellent tea-room and bookshop. In addition to providing a much-needed focal point for the village, Taigh Chearsabhagh's reputation and its educational programmes have succeeded in drawing an extensive artistic community to North Uist. But do not tarry for too long as the single-track road which leads from Lochmaddy to our next port of departure, on the island of Berneray, is another that is all too easy to under-allow for. Berneray used to be linked to the North Uist mainland only by passenger ferry but a programme of causeway-building and new ferry routes during the 1990s has transformed communications within the islands. In the past, each ferry terminal in the Outer Isles tended to be pointed in the direction of the mainland but now inter-island travel is much easier and has opened up some great journeys. The hour-long crossing from Berneray to Leverburgh, at the south end of Harris, is one of them. You will want to spend every minute on deck enjoying the magnificent scenery and the prolific wildlife around the plethora of rocks and islets in the Sound of Harris.

The obvious question about Leverburgh is where such a discordant name came from. To the Gaels, it is still An t-Òb. But back in the early 1920s, it was renamed in honour of Lord Leverhulme, the industrialist who had made various fortunes by canning fish and selling soap powder to the world. Leverhulme bought Lewis and Harris just before the end of the First World War and had massive plans for the industrialisation of Stornoway. However, his stubborn insistence that the farms surrounding the town must be used for dairying to feed his new army of factory workers, brought him into irreconcilable conflict with returning ex-servicemen who had been promised that the farms would be broken up into crofts. Eventually, Leverhulme gave up on Stornoway and turned his attention briefly to South Harris where there are still remnants of his industrial schemes – as well as a village which bears his name!

A detour to Rodel and the ancient church of St Clement's is well worthwhile; then, heading north, the village of Northton is home to two exceptional visitor attractions. There is Seallam!, the centre for genealogical research run by Bill and Chrissie Lawson which will fascinate anyone who believes there is a drop of Hebridean blood in their veins. And next door, the MacGillivray Centre provides fascinating insights into the life of the great – but largely forgotten – naturalist, author and artist who spent his formative years on Harris in the early 19th century. William MacGillivray's most famous work was *A History of British Birds* of which the Natural History Museum says: *'Extremely detailed and accurate, this was the most comprehensive work on birds available in Britain at the time'*. Not bad for a boy from South Harris!

You have chosen the west coast of Harris for your drive north, so stand by for some of the most stunning – and almost empty – beaches in Europe overlooked by townships with names like Scarista, Horgabost and Seilibost. This is truly magnificent territory, to be enjoyed at leisure. And if you happen to have the golf clubs in the car, be sure to put your money in the honesty box and play the gem of a nine hole course at Scarista which was designed on machair land by Finlay Morrison, a native of Harris and probably the only Gaelic speaking professional golfer to have played in the Open Championship!

Harris gave its name to the celebrated tweed industry although most of the production is now centred to the north, in Lewis. However, one Harris-based weaver, Donald John Mackay from Luskentyre, won national fame a couple of years back when, much to his surprise, he received an order from Nike who had decided to revamp their Terminator trainers in Harris Tweed. Not realising that they were communicating with one man in his weaving shed, Nike requested 10,000 metres of tweed – enough to keep him working flat out for several decades! Donald John enjoyed the publicity and then passed the order onto the mills in Lewis!

Lewis and Harris are one landmass though they have long been identified as two islands. This was because, in times past, the highest mountain in the Western Isles – the Clisham – must have seemed impassable. Today, it is still a climb that strains many internal combustion engines. You are now in the hills of North Harris – and this vast estate, until recently a bastion of private landlordism, is one of those which has now passed into community ownership. Near the village of Ardvourlie, a sign advises you that the border between Lewis and Harris has been traversed! It is 36 miles in all from Tarbert, the main village in Harris, to the Lewis capital of Stornoway. Roughly half way there, it is worth stopping to take a close look at the impressive memorial to the left of the road. This was designed by the well-known Scottish artist, Will MacLean, and it is one of a series in Lewis that commemorates the part played by the island in the 19th century land struggle. This one relates to the Pairc Deer Raids of 1887, when crofters in this part of the island tried to recover the vast acreages that had been taken from them to make way for the sporting interests of the proprietors.

Stornoway itself is a busy town built around its natural harbour. In its day, this was one of the leading herring ports of Europe, sending vast quantities of fish to destinations as far apart as New York and the Baltic. Thousands of island women 'followed the herring' around the British coast, working as gutters and are commemorated by a sculpture close to the ferry terminal. It was hard work for little money, as Derick Thomson observed in *Clann-Nighean an Sgadain/ The Herring Girls*:

"Salt the reward they won
from those thousands of barrels,
the sea-wind sharp on their skins
and the burden of poverty in their kists,
and were it not for their laughter
you might think the harp-string was broken."

Stornoway houses an excellent arts centre – An Lanntair – which is close to the ferry terminal. And if you are looking for that last quick souvenir to take away with you, seek out one of the town's excellent butchers and ask for marag dhubh, the superb black pudding that has made a mysterious journey over the past decade from the croft-house kitchen to the gourmet restaurants of Glasgow and London. One thing I guarantee you – it will cost you a lot less in Stornoway!

The three hour crossing to the mainland takes you into Ullapool, built in 1788 as a herring port designed by Thomas Telford, and is still a striking example of a planned village. There is lots of music around and the Ceilidh Place Hotel, in particular, usually lives up to its name! There is also an excellent local museum.

Now it is time to complete your circle and there are two options at your disposal – for the quicker route back to Fort William, it is probably better to go as far as Garve and then follow the road south. But for those with time to spare, the best advice – as always – is to stick as close to the west coast as possible, by turning right eight miles out of Ullapool and following the road through places like Aultbea, Gairloch, Torridon and Shieldaig before you rejoin the A82 south of Kyle of Lochalsh.

Staffin, Skye
Stamhain, san Eilean Sgitheanach

59

Àireamh 11: Cuairt phearsanta às a' Ghearastan gu Malaig, an t-Eilean Sgitheanach, Uibhist a Tuath, Bearnaraigh, na Hearadh, Leòdhas agus Ullapul

le Brian MacUilleim

Mun àm a ruigeas sibh an Gearastan, far a bheil an turas againn a' tòiseachadh, bidh sibh air a dhol tro thalamh fàs agus fiadhaich. Chan eil e doirbh, am measg a' ghreadhnachais, smaoineachadh gur dòcha gur e tìr reubaltach a bha an seo uaireigin le iomadh cothrom aig muinntir an àite cur an aghaidh smachd an ùghdarrais laghail.

Agus 's e sin an dearbh adhbhar a chaidh an Gearastan a chruthachadh agus gur e ainm nach buin idir don Ghàidhlig a thugadh air. Ach, 's ann ainneamh a chluinnear Gàidheil a' cleachdadh ainm Beurla a' bhaile. Mar as trice, cleachdaidh iadsan ainm Gàidhlig a' bhaile 'an Gearastan'. Ach bha an t-ainm Beurla air ron fhear Ghàidhlig, rud a tha glè annasach sa cheàrnaidh seo den t-saoghal.

Bha an Gearastan air ainmeachadh air Rìgh Uilleam Orains ann an 1690. B' ann aig Inbhir Lòchaidh, beagan mhìltean air taobh a-muigh a' bhaile a tha ann an-diugh, a bha a' chiad champa armailteach. Thar na h-ath linne, anns an robh dà ar-a-mach neo-shoirbheachail aig na Seumasaich, thàinig an Gearastan gu bhith ro-chudromach anns na h-oidhirpean a rinn ùghdarrasan Bhreatainn air na cinnidhean a bha air taobh nan Seumasach a chur fo smachd agus cur às do mhonarcachd Hanobhair. Bha Loch Abar – an sgìre timcheall a' Ghearastain – air a cumail fodha gu mòr an dèidh do dh'ar-a-mach 1745 fàilligeadh. 'S e an dubhadh-às seo air a h-uile càil air Ghàidhealtachd air an robh coltas easaonta – gu h-àraidh cànan agus cultar a' Ghàidheil – a luathaich an cùrsa fada gu beatha le blas na Beurla.

Tha an t-atharrachadh sin ri fhaicinn fhathast anns a' Ghearastan. Tha luchd-turais a' tighinn ann bho air feadh an t-saoghail ach cha do chaill e a dhearbh-aithne Ghàidhealach gu tur. 'S e iomain – geama Gàidhealach mar hurling no iomáint na h-Èireann – an spòrs as cumanta san sgìre.

Tha a' Ghàidhlig fhathast air a bruidhinn le timcheall air deichnear sa cheud de shluagh a' Ghearastain agus nam bailtean mun cuairt, ach thàinig mòran dhiubh às na h-eileanan air an tarraing gu aon de na bailtean a tha a' leudachadh san sgìre. Tha ceòl agus òrain nan Gàidheal a' dol fhathast.

Na laighe fo sgàil Bheinn Nibheis – a' bheinn as àirde san Rìoghachd Aonaichte – tha an Gearastan na phrìomh àite airson sreap agus spòrsan eile a-muigh. B' e sliosan casa nam beanntan sin a rinn e cho freagarrach airson leaghadair almain, air obrachadh leis an dealan-uisge aige fhèin. Mar sin 's e an Gearastan aon de bheagan bhailtean ùra air Ghàidhealtachd anns an robh gnìomhachas trom o chionn iomadh bliadhna. Tha taigh-staile ann cuideachd, dìreach mar a bhios sibh a' dol gu tuath a-mach às a' Ghearastan agus a' coimhead airson an tionndaidh chun na làimhe clì a dh'ionnsaigh Mhalaig agus na h-eileanan chun an iar.

Ach an toiseach tha sibh a' draibheadh tro shealladh-tìre àlainn Loch Abair. B' ann o chionn glè ghoirid a chaidh seo atharrachadh bho bhith, sa mhòr-chuid, na rathad singilte a chuireadh eagal air na draibhearan a b' eòlaiche – gu h-àraidh le làraidhean èisg a' tighinn nan coinneamh air an t-slighe bho Mhalaig gu na margaidean sa cheann a deas! Ach a-nis, an dèidh mòran leasachaidh, 's gann gun aithnichear gur e an aon rathad a tha ann, ach 's fhiach gabhail air ur socair agus faicinn na seallaidhean maiseach, na comharran-tìre eachdraidheil agus na bailtean beaga bòidheach aig an ìre seo den turas.

Stadaibh aig Gleann Fhionghain agus chan ann a-mhàin airson a' chuimhneachain fhaicinn a tha a' comharrachadh far do thog am Prionnsa Teàrlach – Teàrlach Eideard Stiùbhairt – a bhratach, ghabh e còir air righ-chathair Bhreatainn dha athair agus ghairm e na cinnidhean airson ar-a-mach mì-shealbhach nan Seumasach ann an 1745. An ceann ochd mìosan, às dèidh Chùil Lodair, b' ann às an dearbh àite seo a chaidh fhògradh dhan Fhraing. Bha a cheart uiread de na cinnidhean Gàidhealach an aghaidh nan Seumasach 's a bha air an taobh. Bha an ceàrn seo den Ghàidhealtachd air cumail dìleas don t-seann chreideamh Chaitligeach ged a bha a' chuid a bu mhotha de dh'Alba air strìochdadh don chreideamh Phròstanach aig Ath-leasachadh na 16mh linn.

Mar sin, bha e nàdarrach gum biodh na Seumasaich a' lorg taic an seo. Ach tha Gleann Fhionghain ainmeil airson structair eile cuideachd – an drochaid rèile iongantach air a bheil Rathad-iarainn na Gàidhealtachd.

Tha còrr air 1200 troigh a dh'fhaid innte agus tha i air a dhèanamh suas de 21 stuaghan. Chaidh a togail le companaidh togail Raibeart MhicAlpain mu thoiseach na linne mu dheireadh. Ann an cladh faisg air làimh tha cuirp buill den sgioba-obrach Èireannach – 'MacAlpine's Fusiliers' – a chaill am beatha fhad 's a bha iad a' togail na Rèile le seann uidheam sìmplidh. Sin mar a bha cùisean – ach bidh daoine a bhios a' coimhead fiolmaichean Harry Potter eòlach air a bhith a' coimhead an Hogwart's Express na deann suas is sìos an drochaid!

Air gach taobh den rathad seo tha sreath de bhailtean bòidheach – Loch Ailleart, Àrasaig, Mòrar agus an uair sin port trang Mhalaig às a bheil aiseag Chaledonian Mhic a' Bhruthainn a' seòladh gu Armadal san Eilean Sgitheanach. Ma tha sibh airson a dhol nas fhaide, tha aiseagan nas lugha ann a' dol gu eileanan Eige, Rùm, Eilean nam Muc agus Canaigh – gach aon le dearbh-aithne inntinneach. O chionn beagan bhliadhnachan, bha Eige anns na naidheachdan nuair a chaidh a cheannach leis a' choimhearsnachd, às dèidh a bhith iomadh bliadhna air a dhearmad le uachdarain neo-làthaireach. 'S ann le Urras Nàiseanta na h-Alba a tha Rùm agus Canaigh a-nis agus tha àireamh bheag de dhaoine a' fuireach annta.

Ach nì a' chuid as motha agaibh dìreach air an Eilean Sgitheanach. Tha an t-slighe seo nas tarraingiche na an drochaid, nas fhaide suas an costa, a tha a' ceangal Caol Loch Aillse ri Caol Àcain. Tha an t-aiseag a' toirt an neach-turais dìreach a-steach do 'Lios an Eilein Sgitheanaich' – rubha Shlèite a dh'fhaodadh sibh a chall ma ghabhas sibh an drochaid. An seo feumaidh sibh stad aig aon de na h-ionadan foghlaim as inntinniche ann am Breatainn – Sabhal Mòr Ostaig, colaiste Ghàidhlig na h-Alba a tha a' tabhann foghlam aig ìre ceum tro mheadhan a' chànain. Tha Sabhal Mòr Ostaig, a thòisich ann an seann shabhal o chionn beagan a bharrachd air 30 bliadhna, air leudachadh gu làrach cho brèagha 's a chithear san dùthaich, ann an àrainneachd air leth.

Tha Sabhal Mòr Ostaig, agus na h-oileanaich, a tha a' fuireach san àite, air àrainneachd ùr a chruthachadh a tha glè eadar-dhealaichte ris a' chuid as motha den Ghàidhealtachd agus na h-Eileanan. Tha mòran Gàidhlig ri chluinntinn agus faodaidh sibh a bhith cinnteach gun lorg sibh deagh chèilidh ann an aon de na tallachan no taighean-òsta ionadail. Ach tha rudan tarraingeach eile ann an Slèite mar grunn thaighean-òsta sàr-mhath. Sìos tro na linntean, b' e seo tìr Chlann Dòmhnaill agus tha an eachdraidh sin air a ghleidheadh ann an Ionad Chlann Dòmhnaill, beagan mhìltean bho chidhe-aiseig Armadail. Thàinig a' chuid as motha de mhaoineachadh a' phròiseict seo – a tha a' gabhail a-steach gàrraidhean àlainn – bho Ellice NicDhòmhnaillà Delaware an Ameireagaidh, ach bha a seanair à Gleann Comhann.

An dèidh dhuibh gach sealladh an Slèite fhaicinn, faodaidh sibh tionndadh chun na làimhe clì a dh'ionnsaigh an Àth Leathainn. 'S e seo dachaigh Pàipear Beag an Eilean Sgitheanaich agus bu mhise ciad dheasaiche a' phàipeir aig toiseach nan 1970an agus tha e fhathast dìleas don t-suaicheantas a thug sinn bho sheann Lìg Fearainn na Gàidhealtachd – 'An Tìr, An Cànan 's na Daoine'. Tha a' mhòr-chuid de luchd-leughaidh a' phàipeir anns an Eilein Sgitheanach, na bailtean mu choinneamh air tìr-mòr agus na h-Eileanan an Iar agus gheibh luchd-turais agus muinntir an àite naidheachdan ann a tha glè eadar-dhealaichte bhon fheadhainn a gheibhear sa chuid as motha den dùthaich!

Tha cùisean a bhuineas don fhearann – an luchd-seilbh, an luchd-còmhnaidh agus an luchd-cleachdaidh – aig cridhe eachdraidh agus beatha làitheil nan coimhearsnachdan sin uile. 'S e croitearachd an seòrsa gabhaltais as cumanta agus a bha air a chur san lagh anns na 1880an gus còir a thoirt do na daoine air an croitean an aghaidh uachdarain a bhiodh ag iarraidh am fuadach. Mun àm a shealbhaich iad an reachdas seo, bha mòran de shluagh na Gàidhlig air an sgapadh air feadh an t-saoghail agus bha a' chuid a bu mhotha den fhearann fo chaoraich agus fhèidh. Tha an sgaoileadh-sluaigh annasach a tha ann fhathast – le bailtean beaga an cois na mara – air a thighinn sìos bhon linn dhorch sin.

Ged nach robh an aon ìre fòirneirt an aghaidh nan uachdaran air Ghàidhealtachd 's a bha ann an Èirinn aig an aon àm, bha Strì an Fhearainn air Ghàidhealtachd agus bha saighdearan air an cleachdadh iomadh uair anns na h-eileanan aig deireadh na 19mh linn. Mar a thig sibh gu Port Rìgh, prìomh bhaile an Eilean Sgitheanaich, chun na làimhe clì thèid sibh seachad air soidhne-rathaid chun a' Bhràighe agus bha an ceàrn sin den eilean an teis-mheadhan aon de na tachartasan cudromach a thug buaidh air an Riaghaltas a thaobh reachdas croitearachd. Ann an 1882, rinn muinntir a' Bràighe ar-a-mach an aghaidh an uachdarain, Iarla Chlann Dòmhnaill, nuair a dh'fheuch e ri na croitearan fhuadach bho ionaltradh Bheinn Lì. Chaidh saighdearan a chur dhan eilean airson an ar-a-mach a chasg agus thòisich seo strì cho-ionann air feadh na Gàidhealtachd agus nan Eilean.

Mus ruig sibh am Bràighe, bidh sibh air a dhol seachad air cidhe-aiseig Chaledonian Mhic a' Bhruthainn aig Sgonnsar agus is math is fhiach dhuibh cuairt a ghabhail gu eilean Ratharsair. Nuair a dh'innis mi do charaid dhomh a tha a' fuireach ann gun robh mi dìreach air tilleadh à New York, thuirt e rium gu bheil Manhattan nas lugha na Ratharsair – le àireamh-sluaigh de 150! Ach ged a tha an àireamh-sluaigh beag, tha an t-eilean seo cuideachd loma-làn eachdraidh agus beul-aithris Gàidhlig. 'S ann an seo a tha Taigh Ratharsair, a bha air a cheannach leis a' choimhearsnachd o chionn ghoirid às dèidh mòran strì.

Eaglais Chliamain Ròghadail, sna Hearadh
St Clement's Church, Rodel, Harris

O chionn 30 bliadhna, bha Ratharsair daonnan anns na naidheachdan mar thoradh air dol a-mach annasach an uachdarain neo-làthaireach, lighiche ann an Cooden an Sussex a bha air a dhreuchd a leigeil dheth. Gun fhios carson, cheannaich e a h-uile togalach cudromach air an eilean agus leig e dhaibh tuiteam às a chèile. Ged nach fhacas e mòran air an eilean, fad iomadh bliadhna fhuair e air cur an aghaidh togail cidhe-aiseig ùr. Thàinig eachdraidh Dr Green agus Ratharsair gu bhith na eisimpleir ainmeil anns an deasbad iomlan mun fhearann, a' sealltainn a' chumhachd a bha aig aon duine thairis air coimhearsnachd lag.

B' ann an Ratharsair a rugadh Somhairle MacGill-Eain, a bha na bhàrd Gàidhlig san 20mh linn agus ann an sùilean iomadh duine – mar Seumas Heaney, a dh'eadar-theangaich am pìos bàrdachd cudromach 'Hallaig' – aon de phrìomh bhàird Eòrpach na linne sin. B' e neach-teagaisg a bha ann an Somhairle agus thug e iomadh bliadhna na cheannard cliùiteach air Àrd-sgoil a' Phluic, air tìr-mòr, mus do thill e dhan Bhràighe nuair a leig e dheth a dhreuchd – faisg air eilean Ratharsair. Chaochail e ann an 1996 ach bidh barrachd dhaoine ga leughadh an-diugh na nuair a bha e beò; le brosnachadh bho Urras Shomhairle MhicGill-Eain a tha air làrach-lìn a stèidheachadh aig: www.somhairlemacgilleain.org/English

Nam biodh sibh cho fortanach 's gum fosgladh sibh ur sùilean san Eilean Sgitheanach an achlais tè no fear càilear air madainn chiùin shamhraidh, b' e sin deagh àm airson meòrachadh air ìomhaigheachd Shomhairle ann an Camhanaich:

"Bu tu camhanaich air a' Chuiltheann
's latha suilbhir air a' Chlàraich,
grian air a h-uilinn anns an òr-shruth
agus ròs geal bristeadh fàire.

Lainnir sheòl air linne ghrianaich,
gorm a' chuain is iarmailt àr-bhuidh,
an òg-mhadainn na do chuailean
s na do ghruaidhean soilleir àlainn."

Tha baile Phort Rìgh air fàs gu mòr thar nan còrr air 30 bliadhna bho chunnaic mi an toiseach e. 'S dòcha gum bi sibh air mothachadh gu bheil mòran de na soidhnichean rathaid a threòraich sibh air an t-slighe dà-chànanach agus a-nis thathar air gabhail ri sin ann an coimhearsnachd nàdarra sam bith aig a bheil spèis don dearbh-aithne dà-chultarail aice. Ach cha robh e daonnan mar sin.

Chuir an t-ùghdarras ionadail – agus an uair sin Comhairle Inbhir Nis – gu làidir an aghaidh nan ciad shoidhnichean Gàidhlig san Eilean Sgitheanach, air an rathad a-steach a Phort Rìgh, nuair a chaidh a' chùis a thogail aig toiseach nan 1970an le Iain Noble, uachdaran ionadail neo-àbhaisteach a bha air a' Ghàidhlig ionnsachadh agus nach reiceadh an talamh airson leasachaidhean rathaid mur biodh na soidhnichean air na rathaidean sin dà-chànanach. Mu dheireadh thall, rinn e a' chùis agus b' e adhartas mòr a bha ann, le iomadh nì eile a' sruthadh bhuaithe.

Air sràidean trang Phort Rìgh, seallaibh a-mach airson clàir inntinneach air ballachan nan taighean-òsta agus togalaichean poblach. Tha aon dhiubh, aig Taigh-òsta Rosedale, mar chuimhneachan air Màiri Mhòr nan Òran – a' bhana-bhàrd agus tha fear eile, a bhios tarraingeach do luchd-tadhail à Èirinn, a' cuimhneachadh air a' phàirt a bha aig Michael Davitt – a stèidhich Lìg Fearainn na h-Èireann – ann a bhith a' toirt taic do strì nan croitearan aig deireadh na 19mh linn. Gu dearbh, thug croitearan Pròstanach an Eilein Sgitheanaich cuireadh do Davitt, Caitligeach agus poblachdail, seasamh mar an tagraiche don Phàrlamaid an dèidh dha òraid a dhèanamh air beulaibh sluagh mòr bho fhor-uinneig Thaigh-òsta Phort Rìgh ann an Ceàrnag Shomhairle!

Tha an t-àm ann a-nis dèanamh air aiseag Ùige agus tha mi air fhoghlam gum bu chòir ùine gu leòr fhàgail airson a' phàirt seo den turas. Faodaidh na 15 mìle a bhith glè fhada air latha trang samhraidh. Agus nuair a ruigeas sibh Ùige, le na seallaidhean maiseach os cionn a' bhàigh, thoiribh an aire nach bi ur sùilean air am mealladh. Chan eil fhios agam carson, ach saoilidh duine gu bheil aiseag Chaledonian Mhic a' Bhruthainn dìreach a' seòladh agus 's dòcha gum bi sibh airson cabhag a dhèanamh sìos dhan bhaile, air eagal nach eil an uair cheart agaibh airson an aiseig. Fanaibh a choimhead an t-seallaidh – cha chaill sibh an aiseag idir!

'S e seo an t-slighe aiseig as fheàrr leam air a' chost an iar. Chan eil i ro fhada no ro ghoirid le seallaidhean brèagha de cheann a tuath an Eilein Sgitheanaich mus seòl sinn a-mach tarsainn a' Chuain Sgìth chun an Tairbeart no – mar an turas seo – gu Loch nam Madadh an Uibhist a Tuath. 'S iomadh cuimhneachan math a tha agam air an aiseag a bha air an t-slighe seo roimhe, an seann MV Hebrides agus a sgioba mharaichean às na h-eileanan – agus iad uile air a bhith air feadh an t-saoghail anns a' Chabhlach Mharsanta. Tha na clàran-ama nas teinne an-diugh agus chan eil uiread de dh'ùine againn airson sgeulachdan, ach tha an t-slighe cho tlachdmhor 's a bha i a-riamh.

'S e baile taitneach a tha ann an Loch nam Madadh le fìor ghoireas sàr mhath – Taigh Chearsabhagh, an t-ionad ealain a tha air duaisean a chosnadh, 's a tha air a bhith a' dol o 1995. Tha am facal 'Cearsabhagh' a' tighinn on t-seann ainm Lochlannach a bh' air a' bhaile. Tha taisbeanaidhean inntinneach ann an-còmhnaidh agus fìor dheagh thaigh-tasgaidh, taigh-bidhe is bùth-leabhraichean. A thuilleadh air a bhith na dheagh àite-coinneachaidh sa bhaile, tha an t-ainm a th' aig Taigh Chearsabhagh agus aig na prògraman foghlaim sa bheil e an sàs air mòran dhaoine aig a bheil ùidh sna h-ealain a thàladh a dh'Uibhist a Tuath.

Ach na fanaibh ro fhada an sin oir 's e rathad singilte a tha a' dol gu Eilean Bheàrnaraigh, an ath phort om fàg sinn, agus tha e furasta a bhith air ur mealladh a thaobh an ùine a bheir e a' dol ann. Chleachd ceangal a bhith eadar Beàrnaraigh is Uibhist a Tuath tro aiseag nach toireadh leis ach daoine a-mhàin ach ri linn a' phrògraim a bha ann sna 1990an de thogail chabhsairean is aiseagan ùra, thàinig adhartas mòr air na h-eadar-cheangail tro na h-eileanan. Sna làithean a dh'fhalbh, chleachd gach port-aiseiga bhith a' coimhead ris an tìr-mhòr ach an-diugh tha siubhal mòran nas fhasa eadar na h-eileanan agus tha turasan fìor mhath a-nis comasach. 'S e aon dhiubh sin an t-aiseag a mhaireas uair a thìde eadar Beàrnaraigh agus An t-Òb. Bidh sibh airson a bhith shuas air deic fad an t-slighe a' gabhail beachd air na seallaidhean bòidheach is am fiadh-bheatha lìonmhor a tha mun cuairt nan sgeirean 's nan eilean a tha cho pailt ann an Caolas na Hearadh.

'S e a' cheist inntinneach mun t-Òb no Leverburgh cò às fon ghrèin a thàinig an t-ainm Beurla a tha air? Sa Ghàidhlig 's e An t-Òb a thathar a' cleachdadh chun là an-diugh ach tràth sna 20an, chaidh ainmeachadh an dèidh a' Mhorar Leverhulme, am fear-gnìomhachais a bha soirbheachail ann a bhith a' reic èisg ann an canaichean agus siabainn air feadh an t-saoghail. Cheannaich Leverhulme Leòdhas is Na Hearadh dìreach ro dheireadh a' Chiad Chogaidh agus bha planaichean mòra aige airson Steòrnabhagh a dhèanamh na bhaile tionnsgalach. Ach thog a rag-mhuinealas mu bhith cleachdadh nan tacan a bha mun cuairt Steòrnabhaigh airson bainne a chumail ris an fheachd ùir a bha gu bhith aige sna factaraidhean, strì nach gabhadh a rèiteach leis an fheadhainn a bha air tilleadh air ais bhon chogadh agus dhan deach gealltainn gum biodh na tacan air am briseadh suas nan croitean. Aig a' cheann thall, leig Leverhulme seachad na planaichean a bh'aige airson Steòrnabhagh agus thog e air gu Ceann a Deas Na Hearadh far a bheil fhathast fianais air na sgeamaichean tionnsgalach aige – cho math ri baile a tha air ainmeachadh às a dhèidh!

'S math a b' fhiach dhuibh a dhol far an rathaid gu Roghadal agus seann eaglais Naomh Chliamain; agus an uair sin, a' dol gu tuath, chun Taobh Tuath far am faighear dà ionad turasachd sàr mhath. An toiseach Seallam! an t-ionad airson rannsachadh sloinntireachd air a ruith le Bill is Criosaidh Lawson a chuireas iongnadh air duine sam bith a tha den bheachd gu bheil boinne fala a bhuineas do dh'Innse Gall na chuislean. Agus faisg air làimh, Ionad Mhic Ille Bhràth a tha dèanamh dealbh inntinneach air beatha an eòlaiche-nàdair – air nach eil mòran cuimhne san là an-diugh – a bha cuideachd na ùghdar agus na neach-deilbh a chur seachad bliadhnaichean òige sna Hearadh tràth san 19mh linn. B' e an obair a b' ainmeil a rinn Uilleam Mac Ille Bhràth *A History of British Birds* mun tuirt Taigh-tasgaidh Eachdraidh Nàdair: *'Fìor mhionaideach is neo-mhearachdach, an obair a bu choileanta na latha mu eòin a bha ri fhaighinn ann am Breatainn aig an àm'*. Cha b' e droch chliù a bha sin air balach bho Cheann a Deas Na Hearadh!

Tha sibh air taghadh taobh siar na Hearadh airson ur slighe a dhèanamh gu tuath. Fuirichibh gus am faic sibh na tràighean àlainn a tha seo – gun duine beò cha mhòr orra – chan eil mòran dhan leithid san Roinn Eòrpa is bailtean le ainmean mar Sgarasta, Horgabost is Seilibost air an t-slighe. Fìor shuidheachadh mìorbhaileach a bu chòir a mhealtainn gun cus cabhaig a bhith oirbh. Ma tha camain goilf agaibh sa chàr, dèanaibh cinnteach gun cuir sibh airgead màil dhan bhogsa agus cluichibh geama air deagh raon naoi-tuill ann an Sgarasta a chaidh a dhealbh air a' mhachair le Fionnlagh Moireasdan, às na Hearadh, agus dh'fhaodadh e bhith gur e an t-aon chluicheadair goilf proifeiseanta aig an robh a' Ghàidhlig a chluich a riamh sa Cho-fharpais Fhosgailte!

'S e ainm Na Hearadh a tha air gnìomhachas iomraiteach a' Chlò Mhòir ged is ann an Leòdhas gu tuath a tha a' mhòr-chuid den obair stèidhichte an-diugh. Ach rinn aon bhreabadair a tha fuireach sna Hearadh, Dòmhnall Iain MacAoidh à Losgaintir, ainm dha fhèin aig ìre nàiseanta an uair a fhuair e, 's gun dùil ris, òrdan bho Nike a bha air am brògan-spòrs Terminator ath-dhealbh is iad a' dol a chleachdadh a' chlò Hearaich. Cha robh iad a' tuigsinn gun robh iad a' bruidhinn ri duine a bha ag obair leis-fhèin ann an seada-beairt, an uair a dh'òrdaich iad 10,000 meatair de chlò – bhiodh seo air a chumail a' dol fad dheicheadan de bhliadhnaichean! Abair gun do chòrd an sanasachd a fhuair e ri Dòmhnall Iain mus do chuir e an t-òrdan air adhart gu muilnean Leòdhais!

'S e aon eilean mòr a tha ann an Leòdhas is Na Hearadh ged a tha iad air a bhith air an comharrachadh o chionn fhada mar dà eilean eadar-dhealaichte. Bha seo air sgàth 's gun robh sna seann làithean a' bheinn as àirde sna h-Eileanan an Iar – An Cliseam – le coltas oirre nach fhaighte thairis oirre. An-diugh tha i fhathast na dùbhlan do dh'iomadh einnsein carbaid. Tha sibh a-nise am measg bheanntan Cheann a Tuath na Hearadh – agus an-diugh, tha an oighreachd mhòr seo a bha gu chionn ghoirid fo smachd uachdaran prìobhaideach air a dhol fo smachd na coimhearsnachd. Faisg air baile Àird a' Mhùlaidh, chithear soidhne a tha ag innse gu bheil sibh air a dhol thar na crìche a-steach a Leòdhas!

Tha astar 36 mìle eadar an Tairbeart, am baile as motha sna Hearadh agus Steòrnabhagh, prìomh bhaile Leòdhais. Mu letheach slighe ann 's fhiach stad aig a' chàrn-cuimhne chudromach air taobh clì an rathaid. Chaidh a dhealbh leis an neach-ealain iomraiteach Will MacIlleathain agus is e aon de sreath chàirn a tha ann an Leòdhas a' cuimhneachadh am pàirt a chluich an t-eilean ann an strì an fhearainn san 19mh linn. Tha am fear seo a' comharrachadh Rèid na Pàirce ann an 1887 an uair a dh'fheuch croitearan na sgìre seo grèim fhaighinn air an fhearann a chaidh a thoirt bhuapa gus am biodh fearann aig na h-uachdarain airson an cluiche fhèin.

'S e baile trang a tha ann am baile Steòrnabhaigh a dh'fhàs suas timcheall air a' chaladh nàdarra a tha ann. Na là, b' e seo aon de phrìomh bhailtean

69

puirt sgadain san Roinn Eòrpa, agus bhithte a' cur mòran èisg air falbh gu àitean cho fada air falbh ri New York is am Baltaic. Bhiodh na mìltean de chlann-nighean an eilein a' leantainn an sgadain timcheall air costa Bhreatainn, ag obair mar chutairean agus an-diugh tha ìomhaigh shnaighte gan comharrachadh faisg air cidhe an aiseig. B' e obair chruaidh anns an robh iad an sàs airson glè bheag de thuarastal, mar a dh'ainmich Ruaraidh MacThòmais ann an Clann-Nighean an Sgadain:

"Bu shaillte an duais a thàrr iad
    às na mìltean bharaillean ud,
    gaoth na mara geur air an craiceann,
    is eallach a' bhochdainn 'nan ciste,
    is mara b' e an gàire
    shaoileadh tu gu robh an teud briste."

Tha fìor dheagh ionad-ealain ann an Steòrnabhagh – An Lanntair – a tha faisg air cidhe an aiseig. Ma tha an cuimhneachan mu dheireadh agaibh fhathast ri cheannach, feuchaibh ri dhol gu fear de bhùidsearan a' bhaile is marag dhubh a cheannach, am biadh nàdarra sin a tha air a dhol bho bhith na bhiadh an taigh-croit gu biadh fasanta an taighean-bidhe ainmeil ann an Glaschu is Lunnainn. Aon nì a tha cinnteach cha bhi i cho daor oirbh ann an Steòrnabhagh!

Tha slighe-mara a mhaireas trì uairean a thìde romhaibh gu Ulapul, a chaidh a stèidheachadh ann an 1788 mar phort-iasgaich airson an sgadain 's a bha air a dhealbh le Tòmas Telford. Tha e fhathast na dheagh eisimpleir de bhaile a chaidh a dhealbh gu cùramach. Tha mòran ciùil ri chluinntinn gu sònraichte san Taigh-òsta an Cèilidh Place mar a shùilichear leis an ainm a tha air! Tha cuideachd fìor dheagh taigh-tasgaidh ionadail ann.

Tha an t-àm agaibh a-nis an cearcall a chrìochnachadh agus tha dà roghainn agaibh – airson an rathad as giorra a ghabhail air ais dhan Ghearastan, tha mi dhan bheachd gu bheil e nas fheàrr a dhol gu Garbh agus an uair sin an rathad a ghabhail gu deas. Ach ma tha tìde agaibh, 's e a' chomhairle as fheàrr – an còmhnaidh – cumail ris a' chosta an iar cho mòr 's a ghabhas, le bhith a' tionndadh chun làimh cheart ochd mìle a-mach à Ulapul agus a' leantainn an rathaid tro bhailtean mar An t-Allt Beithe, Geàrrloch, Toirbheartan agus Sìldeag mus tig thu air ais chun A82 deas air Caol Loch Aillse.

Fishnish
Craignure
Mull
Iona Fionnphort
Obar
Lismore
A816
Colonsay
Scalasaig
Jura
A816   A83
                  (from Crianlaric)
Lochgilphead
Islay
Feolin Ferry
Port Askaig   Craighouse
A83
Tarbert
A847 Bowmore
A846
Portnahaven
Port Ellen
Kennacraig
Gigha   Tayinloan
A83
(from Campbeltown)

Route 18: Kennacraig to Islay, Colonsay and Oban by Iseabail and Margaret Mactaggart

Margaret Anne Mactaggart and Iseabail Mactaggart are mother and daughter. Both live at Kintra Farm in Islay, although Margaret Anne is originally from Lewis. Margaret Anne taught Gaelic for many years in Lewis, Wester Ross, Islay, Lochaber and Sabhal Mor Ostaig. She now manages the farm based tourism business she and her husband, Hamish, have built up over four decades. Now working in Commercial Operations in Islay, previously Iseabail worked in Inverness, London and Shanghai, as a corporate lawyer, broadcaster and Assistant Editor at BBC Radio News. Like her brother and sister, Seumas and Deirdre, Iseabail enjoys Gaelic singing.

Kiloran Bay, Colonsay
*Bagh Chill Òdhrain,
an Colbhasaigh*

Route 18: A personal journey from Kennacraig to Islay, Colonsay and Oban

by Iseabail and Margaret Mactaggart

Earra Ghaidheal is an extraordinary kingdom. It is beautiful in its own green, lush, damp way; it is rich in wildlife; it has a unique Gaelic culture intertwined with that of its Irish cousins and, of course, it is home to some of the best known whiskies in the world. But best of all perhaps, is its almost secret, magnificent history, utterly unexplored, utterly unexploited. Argyll is the home of some of the most resonant symbols of Gaeldom, including Dun Add, the stronghold of Dalriada – the Kingdom of the original Scots; Finlaggan – The Council of the Lords of The Isles; and the incredible Kilmartin Glen, stuffed with ancient archaeological sites. So welcome – surrender yourself to the charm of these crumbling structures, dense, green lands and scattered islands.

CalMac journeys are never ordinary. For an islander, no matter how mundane the reason for travel, it's not like getting the No 32, or the 0817. It's always an adventure. The clanking, the heaving, the deep rumble as the engine revs and the ropes strain, the shouts as tankers are secured, the bellows of calves in floats – the sheer mechanics of the journey mean that this can never be an ordinary mode of transport. But it's more than that again: the sound of Gaelic being spoken by the crew; people leaving, people returning; relief at departures, the pain of imminent, dreadful homesickness – the CalMac ferry journey is the quintessential Gaidhealach experience. Masochists aboard!

The CalMac ferry has always been part of our family's lives – great, long adventures north to Lewis; great, long adventures to the rest of the Gaidhealtachd and the fantastically mad frenzy of the Mod. Because we were going to or coming from a Mod, there would be music: choirs practising in the corridor, in the bar, anywhere. Most recently, the first Islay male voice choir to sing at a national Mod in years was in residence in the bar on the long journey from Islay to Oban. Even without the help of a dram, we had much improved by the time we got to Oban. That is about the joy of the music, all the more special because of the seas being sailed, and the company.

And so we start our journey from Kennacraig. Irrespective of the weather, the departure from West Loch Tarbert is almost always a quiet, gentle one. The ferry sails slowly and warily up the protective arms of the loch, the long stretch of the Kintyre peninsula on one side, Ardpatrick point on the other. And then she thrusts out into the open sea. Kintyre – mainland, but almost not – bends away behind, its long line of wind turbines cheerily bidding farewell. Jura lies to the west, still distant, its Paps punching the skyline. To the south lies the long, green streak that is Gigha. Its recent story is remarkable – God's Island indeed. It was bought by its community in 2002, a feat no more joyfully manifested than with its 'dancing ladies', its three community-owned, and profit-generating, wind turbines. The three ladies were christened Creideas, Dòchas and Carthannas, (Faith, Hope and Charity) – and as the ferry passes they appear giddy with a girly excitement. The Port Ellen route dips down to the south west, County Antrim in Northern Ireland within sight. Islay's ties with Ireland are old and deep – what's twenty miles, after all? – and the songs, the Islay Gaelic blas (literally 'taste', but here meaning 'accent'), and some of the words used, reflect that. The famous twentieth century Islay bard, Duncan Johnstone wrote of Sìol Ionndroim is Ìle, bu rìoghail am pòr (The progeny of Antrim and Islay, how kingly the race).

Trips to Ballycastle and around the Antrim coast were often made, and that mere distance is nothing now to the ribs that make the journey regularly. This route between Scotland and Ireland is called Sruth na Maoile – the Straits of Moyle. It's one that was regularly travelled by Ilich, for fishing, fairs, feisean, and with anything and everything exchanged: songs, jokes, donkeys (Barney the donkey was famously brought back on a fishing boat from Ballycastle to Port Ellen. Someone, somewhere has a video). The journey across that strait in these tough ribs is a magical one – scudding and bouncing over the tops of what seem at that level to be enormous waves, negotiating porpoises, then huge lumps of wood, while rearing up on the return come the massive cliffs of the Oa (pronounced 'Oh').

As the ferry turns west the soft, lush woods of the south east end of Islay appear, with her backbone of hills behind. There are many, many islands dotted around here – according to legend dropped by the giant Scandinavian princess, Iula, as she staggered her way across the seas with her apron full of stones of different sizes. The fallen stones became islands: first Ireland, then Rathlin, Texa near Port Ellen and the string of islands off the south east coast. When she reached the shores north of Kildalton, Iula collapsed and sank in the sand. The tide came in and she did not have the energy to save herself. It's said that it is from Iula, buried near Loch a Chnuic, that Islay got its name.

This then is the rather shy introduction to Islay – the dark woods, the gentle peeking from the deer, the seals lolling, too comfortable to stir themselves to greet you properly, all under the frown of the hills beyond. You'll perhaps see the seals from the ferry, but be sure to go to what's called 'up country', the area north of Port Ellen. At the lovely Loch an t-Sàilein, north of Ardbeg, the seals lie, soft, fat, utterly uninterested in anything except comfort.

Kildalton's dark woods mask an area littered with Duns – historic forts, their names magical and rich in resonance: Dun Fhinn, Creag Fhinn, Meall Fairich Fhinn. Wow. The real, great Fionn of Irish and Scottish legend, father of Ossian, here on Islay! Here too is where the Kildalton Cross lies – dating from c.800AD and the only complete, unbroken, early Christian wheel cross to survive in Scotland. The cross is of such quality that it is thought Kildalton was an important Christian site with links to Iona. It's a lovely, if melancholy, spot.

Out of this lush, island-dotted softness emerge three of the island's eight distilleries in sequence: Ardbeg, Lagavulin, Laphroaig. The names are stamped proud on their pristine, whitewashed seawalls. A simple, matter of fact statement: tha sinn an seo. We are here. Take us or leave us. All the island's distilleries stand as white sentinels around the coast, almost inadvertently world brands; here, their gnarled roots entwined in that of the villages that sprang around them and the families that work in them.

Crouched in the bay at Lagavulin, perfectly positioned, lie the ruins of Dun Naomhaig castle, the main stronghold of the Macdonalds of Islay – the Lords of the Isles. There is a wonderful piobaireachd – pipe tune – about Colla Ciotach, a famous Macdonald warrior who was said to favour Dun Naomhaig. Around 1615 Dun Naomhaig was under siege, and he travelled to seek help from Ireland and Kintyre. Before he returned, Dun Naomhaig fell. His piper, held captive in the castle, recognised his master's ship and played the tune A Cholla mo ruin, seachain an dun (Colla my love, keep clear, of the fort).

Coll paid heed to the warning and escaped. The piper was less fortunate: he had his fingers cut off and could never play again.

On this, the gentle rump of Islay, the harsh, salt winds don't quite wreak the damage they do on the west. But as the ferry approaches Port Ellen the sea heaves and rolls more as the Atlantic makes its presence felt, the huge Mull of Oa out to the southwest, steadfast – in the main – against it. The Oa has always been a wild, desolate place – golden eagles swooping off its cliffs, rare choughs nesting, wild goats defending their territory, the American monument a lonely testament to the lives lost in two American troop ships lost in 1918. It would have been densely populated in the 19th century. Now, after a long period of relative emptiness it's being resettled, with many new homes being built high on its hills beside the ruins. Wave at them! Below the assortment of new houses and old ruins lies the lighthouse at Kilnaughton – its gentle, white-gold beach a contrast to the jagged cliffs of the Oa. It is flanked to the west by the 'singing sands' (no, I've never heard them) and to the east, the gentle woods of Cairnmore. Port Ellen distillery sits in the bay, its name proud, as if it's not been told it's closed. Port Ellen bay can be dotted with pretty yachts docked at its new pontoons; you might too see the barley boat, supplying the voracious appetite of the distilleries.

The Port Askaig route is quite different and offers tantalising glimpses of altogether less accessible parts of Islay. The ferry turns north to travel up the Sound of Islay, immediately sheltered from the Atlantic but running against the fierce currents of the Sound. Jura flanks the east, while Islay sits, inhospitably, with its back to you on the west. There are charming, green peeks of Jura's south: the big Jura House with its patches of forest and of course the three paps: The Mountain of the Sound, The Mountain of Gold and The Mountain of Magic.

On the Islay side, Macarthur's Head lighthouse sends out its lonely beacon, on this, the uninhabited side of Islay, the natural site of some of the former illegal whisky caves. Now, as then, Highland cows munch seaweed on the shores, with slow, unconcerned gravitas. The ferry is ignored. And, as the ferry slows against the Sound of Islay current to pull in at Port Askaig, the imposing Dunlossit House emerges from the trees, the magnificent home of the Schroeder family. A few miles to the south-west of

Port Askaig, there's the silent wonder of Loch Finlaggan. It is a quiet, still place which belies its huge importance in Scottish history: it was the centre of the Lords of the Isles, the home of the Macdonald chiefs for almost 400 years, from the 12th to the 16th century.

There are three islands – on one, the installation of the Lords was said to have taken place. On Eilean na Comhairle, the Council Island, the Council decided on administrative functions like land charters and legal judgements. I am always bothered by questions: where did these seafarers from all over the west coast, from Lewis to the Mull of Kintyre, leave all their boats? Was there enough room at Port Askaig? Or did they haul up at Loch Indaal and walk? Or ride? How many ponies did they need to ferry them to Finlaggan? Why is Finlaggan not grander?

Stop at the ancient woollen mill, first established in 1883, and suppliers to Hollywood. It's a charming, if ramshackle place, with beautifully made woollens, all woven on Victorian machinery. You'll pass Loch Indaal, quiet and full of birds. In winter, you can't miss the thousands of rare geese blackening the sky, or marching slowly across green fields – laughing at Islay's farmers.

Visit the Rhinns, the peninsula that lies on the west of the island. At its very end – next stop America – are Portnahaven and Port Weymss, two tiny, pretty villages. Their one church has two doors, an entrance for the inhabitants of each of the villages. The seals lie in the bay, the picture of contentment. Beyond the pretty villages, the lighthouse lies on the island of Orsay, just off the Rhinns coast and across mad channels, one called, fabulously, Caolas nan Gall – the Strait of the Lowlander. It just begs questions.

Jura is impossibly, unfeasibly close to Islay. The tiny car ferry carries you across the Sound from Port Askaig to Feolin. The journey takes minutes but the currents are such that it is undertaken at a 45 degree angle. The Paps loom up and the island's one, single-track road skirts their toes. But Jura is a much, much bigger island than just Paps.

Its east side – facing those sophisticates on the mainland – is gentle, like Islay's south east coast. In the south are the wonderful Jura House Gardens, with the gorgeous tea tent in summer and payment of the admission price by honesty box. Do stop, be honest, delve into the woods, go beyond the listed garden wall and consider these gardens in this climate, genius at work in the siting and the planting, taking full advantage of the Gulf Stream, which caresses this part of Jura rather more lingeringly than elsewhere.

The village of Craighouse hosts the shop, the distillery, the perfectly pitched hotel (with its enormous helpings and rather exotic palm trees), the hall, the school. Sailing boats lie at anchor. But this is just the tip. Travel up north, never in a hurry, over the single tracked roads, up to Ardlussa and then out of the car if you want to reach Orwell's Barnhill, where *1984* was written.

From there it's a less long walk to the tip, the Gulf of Corryvreckan, where the whirlpool lies. Orwell tried it, and was almost, but not quite, consumed by it. It is among the world's largest whirlpools – strangely there is no mad, spiralling drama, just a seething, simmering, mass. It is a place of legend, of songs: the mermaid singing 'Bha mi'n raoir an Coire Bhreacain, Bidh mi nochd an Eilean I', 'Last night I was in Corryvreckan, tonight I will be in Iona').

The story of how it got its name too is wonderful and, obviously, in true Gaidhealach fashion, utterly tragic: Breacan, a Viking prince wanted to marry the daughter of the Lord of the Isles. To prove he was worthy of her, her father said Breacan must hold his boat in the whirlpool for three days. He took advice and secured his boat with the three ropes: one made from wool, one from hemp, and one woven from the hair of the island's maidens. The wool rope snapped on the first night, the hemp on the second … and the third rope, because one of the maidens was not quite as maidenly as she said she was, snapped on the third. Breacan drowned.

Of course sovereigns of all – of Jura, of Islay, of the whole of this part of the west coast – are the Paps. You can run them, walk them, climb them – or just look at them. You can't ignore them.

On leaving Port Askaig, to make the journey to Oban via Colonsay, it is the ridiculously long length of Jura, with its low, belted middle, that immediately strikes. And it's when you're on this stretch of water, crammed with islands, that the power of the Sea Kingdom makes such utter sense. On either side of you, in front, behind, are islands, all within sight – the cliffs and caves of the north end of Islay, the endless length of Jura, the golden sands of

Colonsay. Make sure you're on the top deck as all this unfolds – imagine yourself in that birlinn (the small galleys used at the time, typically 12–18 oars), hauling the oar, seeing beacons the length of the coast – sometimes welcoming, sometimes warning – a magical time and place.

Time was when the Locheil leaving West Loch Tarbert used to call at Gigha, Jura, Islay and Colonsay and thus islanders got to know each other.

Now, we can travel to Colonsay from Port Askaig once a week. And what a journey: up the narrow Sound of Islay with Rubha a'Mhill, Rubha a'Bhachlaig, Cnoc na Piobaireachd and Rubha a' Mhail beckoning from the green growth of Islay, and these omnipresent paps expressing the continuing utter muteness of the desolate, deserted, brindled moors of Jura. Away from the shelter of the two islands, the sea stretches ahead, often choppy, and to the right, far in the distance, surges the warning – yet enticing – gurgling wail of the Corryvreckan. But, from the mythical Land Under the Waves on your left arises Colonsay, Colm's Isle, caressed by Oransay, islands gentle in their expanse of white sandy beaches.

Colonsay, Colm's island, is yet another of the odyssey of places from which poor Colm Cille (Columba) could still see sight of Ireland, and from which he was forced to travel further until he reached Iona. From Iona, he could no longer catch sight of Ireland and thus in 'Iona of the brothers' he had peace to dwell without the reawakening of the nostalgia for Ireland. Poor Columba. What would the present day tourism-marketing team for the southern inner Hebrides do without him?

On the horizon come Beinn na Sgoltaire, Beinn nan Gudairean, Cill Chatain, Uragaig Rubha Bagh nan Capull, Rubha Eilean Mhartainn, names that are testament of the people's footprints in their impression on the land. In goes the ferry to Scalasaig and I am walking up the long, narrow uncovered walkway from the ferry to the Caledonian MacBrayne office. Inside, a man sits at a computer opposite a window, Sandy the Bus and one or two other men of approaching vintage years are ensconced in cushioned arm-chairs, as members of a sitting St Kilda parliament, or the characters in a Tormod A' Bhocsair (Norman Campbell) drama sketch, with a view to the walkway by which passengers arrive on Colonsay.

Chair 1: 'It's yon one back … He can't have had much of welcome when he's back already.'

Chair 2: 'Oh, and the wee man with the briefcase … aye … phone Maggie and tell them HE's in again.'

Chair 1: 'And the man with the beard and the suit…the development grant man … that's who it is … Tell Himself at the computer.'

Sandy the Bus: 'Oh, and here's herself back this time and it's two in tow … that will be excitement and a half…'

Chair 2: "Quite a few tourists for the bus today…'

I speak to them in Gaelic and they all reply to me in chorus:

'No, No, we don't speak it here now … maybe old folk sometimes … just now and then … No.'

I go in the bus up to Kiloran beach which is just as beautiful as it is described. Rock, beach, hill, mountain and field intersperse with each other throughout the island; good husbandry in estates over successive generations of tenant farmers and different ownerships – MacDonalds, MacNeills, and Lord Strathcona – provided comparatively acceptable estate-employment. Colonsay, it is said, did not have clearances.

Colonsay and Orasay have through the centuries given and taken many blessings, grace, affection and artistic skills – as seen in the priory – and in the carved stones, such as the MacPhee gravestone in the crumbling Oransay Priory. Despite the decay, there is also growth. Today it is the world wide web-networking which attracts the outside world to Colonsay and Oransay because of interest in the moorland plants, such as the Uragaig Orchis, Seasamphire, and Marsh Helleborine, and the palms, eucalyptus and mimosa of Colonsay House Gardens, plants nurtured there by biodiversity and the encouraging Gulf Stream.

Although, as I understand, farms are no longer available for tenancy but operated by the present estate-owners themselves, new houses are being built and houses are available for sale. Many properties are available for self-catering holidays, as the number of people discovering this veritable jewel of Hebridean islands ever increases, proceeding up the CalMac walkway under the – unbeknownst to them – watchful customs' scrutiny of the armchair, cushion-seated parliament and the Computer Man. Camping is not allowed in Colonsay, neither are motor homes or caravans. The marketing attraction for present-day Colonsay is its guarantee of quietness, space and remoteness, whether for undisturbed personal space or for peace in which to write your book, lulled by the visible and audible effect of the successful efforts of Scottish Natural Heritage and RSPB. Corncrake and chough numbers have increased; eider, oystercatchers, terns, guillemots, fulmar, all abound in a delirium of delight, their calls wind and wave-borne. The well-equipped, renovated primary school has a roll of 10 pupils. There are 100 people and three children under school-age in the community, which also has a resident doctor, a hall, two churches but no resident minister. The community owns the shop and, as I understand, the hotel is part estate and part community owned. So, when the glasses are raised in the bar of the Colonsay Hotel, surely the lively, astute, spirited, playful spirit of the remainder of the actual Colonsay people themselves will join the ghosts of the echoes of other Macallister and Macneill songs, along with the tuneful bird-calls swirling on the immortality of the elements:

"Come Home, Come Home,
What for? What for?
To your food, To your food,
What food? What Food?
A piece of limpet, A piece of limpet.
A piece of earthworm, A piece of earthworm."

Wasn't Columba himself the wise one … What is to be gained from nostalgia? Colonsay of the virtues has been, and will be, impressive.

And then the slow glide into Oban, with its countless pretty little boats as the ferry draws close to the harbour. The houses are so close in the Sound of Kerrera, the arrival is similar to the famous plane landings in the old Hong Kong airport, involving much peering inside people's living rooms. The bustle of the pier with the big boats heading out to the Outer Hebrides; pretty, wonderful views, the distillery, the folly up high, everything (pubs and lovely foodie shops) close by – a Mod town if there ever was one. And of course, for us island-bunker-types, a Tesco!

The journey south from Oban takes you through rich Argyllshire countryside: damp lush, green, maritime. Stop at lovely Lerags, Loch Melfort, Arduaine Gardens, everywhere and anywhere, but whatever you do, linger in glorious Kilmartin Glen. To describe it as a site of outstanding archaeological importance doesn't quite capture what you'll see here: standing stones, burial cairns, rock art, forts, duns and carved stones, all concentrated in this peaceful, entrancing spot.

The village of Kilmartin itself is beautiful, with wonderful stonework everywhere to be seen, and it's here that the Museum of Ancient Culture is housed. It is very good and its Glebe Cairn Café is perfectly pitched. Further south on the way to Lochgilphead lies Dunadd – the centre of the Kingdom of Dalriada, established when the first Scots invaded from Ireland in the 5th and 6th centuries. Like Finlaggan, it almost seems unlikely in its crumbling form, but stop, imagine: the River Add continues to dochle its way through the Mòine Mhòr, no road, no farmhouse, just a strategically well-placed site. Nearby a 7th century metalworking site has been excavated – its remains include traces of Mediterranean materials. So we Argyllshire folk have always been a cosmopolitan lot! On the fort itself the most marvellously evocative remains can be found: lines of ogham script (the Irish linear script), the outline of a boar, and footprints, said to be those of Ossian himself. So, stand in his footsteps, here in Argyll, the cradle of the Scots, and be counted!

Kildalton Cross and Chapel, Islay
Crois Chill Daltain is an Caibeal, an Ìle

Àireamh 18: Cuairt phearsanta à Ceann na Creige gu Ìle, Colbhasaigh agus an t-Òban

le Iseabail agus Mairead Nic an t-sagairt

'S e rìoghachd air leth sònraichte a th'ann an Earra Ghàidheal. Tha i bòidheach dhi fhèin - gorm, mèath, aitidh; le fiadh-bheatha am pailteas; cultur Gàidhlig a tha eadar-thoinnte le dualchas nan càirdean Eireannach; agus dha rìreabh, 's ann às a tha a' tighinn cuid de na h-uisge-beathan as ainmeile air an t-saoghal. Ach an nì as prìseil a th'aice, 's dòcha gur h-e a h-eachdraidh ionmholta, dhìomhair, fhathast gun a tur rannsachadh, agus fhathast gun a tur phleoiteachadh. 'S ann ann an Earra Ghàidheal a gheibhear cuid de na samhlaidhean as buadhaiche air brìgh Gàidhealtachd: nam measg Dun Àthad, tèarmann Dhail Riata – rìoghachd nan tùs Albannach; Fionnlagan, Comhairle Tighearnas nan Eilean; agus Gleann Chille Mhàrtainn nan ionmhas gun chrìoch, làn làraich airc-eòlais do-àireamh. Fàilte ma tha, leig le tlachd nan tobhtaichean crìonaidh, na dùthcha ghuirm, fhàsmhoir, agus nan eilean sgapte do thàladh a steach.

Chan eil turas air CalMac uair sam bith dìreach àbhaisteach. Do dh'eileanach, ge b'e air bith cho cumanta adhbhar an t-siubhail, chan eil e coltach ri bhith a'dol air bus àireamh 32, neo an trèana 0817. Tha a' ghleadhraich, am bruthadh, rupail domhainn nan einnsean, sàthadh nan ròpan, glaodhaich dian-òrdugh nan luchd-làimh, bùraich nan laogh – tha uile shlisneagan ìomhaigh an turais seo a' ciallachadh nach gabh e a bhith na thuras chòmhdhail mar aon 's an t-sreath. Ach tha barrachd na sin ann an turas ChalMac: fuaim na Gàidhlig air bilean an luchd-làimh, daoine a' togail orra, is daoine a' tilleadh; faochadh falbh, agus cràdh duilich a' chianalais ri thighinn – 's e th'ann an turas ChalMac ach fìor shamhla air turus-beatha a' Ghaidheil. Mach à seo leinn.

Tha aiseag ChalMac air a bhith an lùib eachdraidh an teaghlaich againne – turais dhùraighidh, mhòra, fhada tuath gu Leòdhas; turais dhùraighidh, mhòra, fhada dhan chòrr den Ghaidhealtachd agus othail mhòr, bhoilisgeach a' Mhòid. San tighinn neo san fhalbh bho Mhòd, bhiodh ceòl ann: buidhnean às na còisirean ag ionnsachadh san trannsa, sa bhàr, an oisean sam bith. A' chiad chòisir fhear Ìleach a sheinn aig Mòd Nàiseanta bho chionn fhada an t-saoghail – 's ann sa bhàr a chaith iad an turas as Ìle dhan Òban; eadhon às aonais an drama, 's ann orra fhèin a bha am piseach mu'n àm a ràinig am bàta an t-Òban. Subhachas a' chiùil, nas sòlasaiche buileach, le blàths na cuideachd air bhàrr nan tonn.

Toiseach ar turais ma tà, à Ceann na Creige. A dh'aindeoin na h-aimsir, tha an seòladh às Loch Tairbeart an Iar daonnan socair, sèimh. Tha an t-aiseag a'seòladh gu mall, gu faiceallach suas ann am fasgadh gàirdeanan dìon an locha, raon fada Maol Chinntire air aon làimh, agus Rubha Àird Phàdraig air an làimh eile. 'S an uairsin tha i a'sàthadh a mach dhan chuan mhòr. Ceanntire – eadar mhòr-thìr is eilean – a'claonadh air falbh, 's muileannan gaoithe a'chnàimh-droma a' smèideadh soraidh slàn anns a' ghaoith.

Fhathast fad air falbh chun an iar, tha Diùra, a Mhàman a'stobadh air faire. Gu deas tha stròchag fhada, chaol Ghiogha. 'S ann aige fhèin a tha eachdraidh sna làithean seo – Eilean Dhè gu dearbha. Ghabh à choimhearsnachd sealbh air eilean Ghiogha ann an 2002, nì a th'air a chomharrachadh gu h-aighearach leis na triùir mhnathan dannsaidh – na trì muillnean gaoithe a tha a' cosnadh airgid dhan choimhearsnachd dom buin iad. 'S e Creideas, Dòchas agus Carthannas ainm nam mnathan – agus mar a tha an t-aiseag a'seòladh seachad, tha iad air mhire le boil boireann.

Tha an cùrsa aiseig gu Port Eilein a' fiaradh chun an iar-dheis, Aontraim an Eirinn a Tuath san t-sealladh. Tha bannan eadar Eireann is Ìle sean is seasmhach – gu dè a th'ann am fichead mìle? – agus tha na h-òrain, blas Ghàidhlig Ìle, agus na facail a thathas gan cleachdadh nam fianais air à cheangal sin. Sgrìobh Donnchadh Maclain – bàrd ainmeil Ìleach san fhicheadamh linn – mu 'Sìol Ionndroim is Ìle, bu rìoghail am pòr'. Bhathar gu tric a'dol gu Baile a'Chaisteil agus gu oirthir Aontraim, agus chan eil an t-astar sin an diugh a' cur càil air na bàtaichean 'rib' a tha a' deanamh an turais gu tric. 'S e Sruth na Maoile a theirear ris an t-slighe seo eadar Alba is Eireann, agus bu tric a bha Ìlich a' triall gu iasgach, fèillean, fèisean le rud sam bith a ghabhadh iomlaid: òrain, sgeulachdan, eadhon aisealan (thainig an t-aiseal, Barney, air ais air bàt'-iasgaich bho Baile a' Chaisteil gu Port Eilein – agus tha bhideo ann ga dhearbhadh!). 'S e turas ait a th'anns an turas thar Sruth na Maoile ann am bàta `rib' – a' bogadaich 's a' siorradh thar mullach thonnan a tha, bho ìre a' bhàta, fìor ghailbheach, a' cluich falach-giog le pèileagan is plocan mòra fiodha le sprùilleach na mara, gus a bheil am bàta beag aig bonn charraighean mòra – creagan Maol na h-Òdha.

Mar a tha aiseag ChalMac a'fiaradh chun an iar air a slighe gu Port Eilein, chithear coilltean boga, mèath ceann an eara-dheas Ìle, is cnàimh-droma nan cnoc rin cùl. 'S iomadh eilean a tha seo, a rèir beul-aithris, air an leigeil às le Iula, bana-phrionnsa Lochlannach 's i air a slighe thar na mara 's a h-apran làn chlachan ioma-meud. Thionndaidh na clachan a thuit nan eileanan, an toiseach Eireann, a-rithist Reachraidh, Teacsa faisg air Port Eilein, agus an sreath eileanan thar oirthir an eardheis. Nuair a ràinig Iula na cladaichean tuath air Cill Daltain, leig i roimhe, agus chaidh i fodha anns a' ghainmhich, thàinig an làn a-steach, agus cha robh aice de chlìth a shàbhaladh i fhèin. Thathar a' creidsinn gur ann bho Iula, a tha air a tòrradh faisg air Loch a Chnuic, a fhuair an t-eilean an t-ainm Ìle.

'S e seo ma tha, boillsgidhean fiata air Ìle – na coilltean dùmhail, caogadh caoin nam fiadh, na ròin dhan aonragaich fhèin, ro chomhfhurtail son caireachadh gu d'fhàilteachadh – uile fo ghnùig nam beann. 'S dòcha gum faic thu na ròin bhon aiseig, ach bi cinnteach gun teid thu suas an dùthaich, an ear-thuath air Port Eilein, aig Ceann an t-Sàilein, tuath air an Aird Bheag, tha na ròin nan laighe, bog, reamhar, gun stuth air an aire ach fèin-chomhfhurtachd.

Tha dubh-choillitean Chill Daltain a'falach mòran dhùin. Dùintean eachdraidheil, an ainmean brìoghmhor bho bheul-aithris – Dùn Fhinn, Creag Fhinn, Meall Fairich Fhinn. Smaoinich! Curaidh mòr nan uirsgeul Albannach is Eireannach, athair Oisein, an seo ann an Ìle. Seo cuideachd far a bheil crois Chill Daltain, bho àm 800 AD, agus an t-aon chrois cuibhle Crìosdach iomlan air fhàgail ann an Alba. Tha ìre na crois cho math 's gu bheilear am beachd gum be Cill Daltain làrach riatanach Crìosdail, le ceangal ri Ì. 'S e àite bòidheach, tiamhaidh a th'ann.

Às a' bhuigead mhèath seo, tha trì de ochd taighean-stiola an eilein a' tighinn air sreath a chèile, An Aird Bheag, Lag a' Mhuilinn, agus Lag Phroaig, na h-ainmean sgrìobhte gu h-uailleil air am ballachan geala, glan, ag agairt –

tha sinn an seo, gabh e na fàg e. Tha taighean-stiola an eilein air fad nan seasamh nam freiceadan geala timcheall an oirthir, nan suaicheantas air feadh an t-saoghail mhòir, cha mhòr gun fhiosd' dhaibh. An seo tha am freumhan àrsaidh sìor lùibte anns na bailtean beaga a dh'èirich mun cuairt orra, agus anns na teaghlaichean a th'air a bhith gu dualchasach ag obair annta.

Crùbte anns a' bhàgh aig Lag a Mhuillinn, fior dheagh shuidheachadh, tha tobhtaichean Chaisteil Dhùn Naomhaig, prìomh thèarmann Dòmhnallach nan Eilean – Tighearnas nan Eilean. Tha pìobaireachd mhìorbhaileach mu Cholla Chiotach, curaidh cliùiteach Dòmhnallach, aig an robh taobh ri Dùn Naomhaig. Mu 1615, bha Dùn Naomhaig air a chuairteachadh, agus thog Colla Ciotach air gus cuideachadh fhaotainn às Eireann agus Ceann Tire. Mus do thill e, ghèill Dùn Naomhaig. Dh'aithnich am pìobaire aige, a bha na phrìosanach anns a' Chaisteal, bàta a' mhaighstir, agus chluich e am port *A Cholla mo Rùin, Seachain an Dùn*. Ghabh Colla feart air an rabhadh, agus thàrr e às. Cha robh am pìobaire cho fortanach – chaidh a mheòir a ghearradh dheth, agus cha b'urrainn dha cluich a chaoidh tuilleadh.

An seo, air druim caoin Ìle, chan eil a' ghaoth chruaidh, shaillt a' deanamh uiread de chron 's a tha i air an iar. Ach mar a tha am bàta-aiseig a'dlùthachadh air Port Eilein, tha am muir a'tulgadh 's a' luasgadh, 's an Tàbh a'leigeil ris cho faisg 's a tha e, Maol mòr na h-Òdha a mach air an iar-dheas, seasmhach – sa chuid as motha – na aghaidh. 'S e àite fàsaidh, uaigneach a tha air a bhith anns an Òdh os cuimhnear – iolairean a' cromadh le ionnsaigh bho a creagan, cathagan dearga – nach eil ach tearc – a' neadachadh, gobhair allail a' dìon an cuibhrionn-fearainnn, an carragh-cuimhne Aimeireaganach na fhianais aonranach air call-beatha nan long Aimeireaganach a chaidh san rathad ann an 1918. San 19mh linn bha sluagh mor a' tuineachadh san Òdh. An diugh, an dèidh a bhith greis air bheag shluagh, thathar ga ath-thuineachadh is mòran thaighean ùra, rìomhach gan togail air a slèibhtean ri taobh nan seann thobhtaichean. Smèid riu san dol seachad.

Fo ghrioglachan nan taighean ùra is nan tobhtaichean àrsaidh, tha taigh-solais Chill Neachdain, is an tràigh shocair, bhàn-òr, na fìor choimeas ri creagan garbh na h-Òdha. Chun an iar tha tràigh an t-seinn (cha chuala mi fhèin riamh port ann), agus chun an ear, coille shèimh a' Chairn Mhòir. Tha taigh-stiola Phort Eilein air a' bhàgh, ainm uasal, mar nach biodh fhios aige fhathast gu bheil a dhorsan dùinte. Ann am bàgh Leodamais chithear gu tric geòlaichean prìseil air acair aig na lamraig mara ùra; chithear cuideachd bàta an eòrna, a' sàsachadh acras cìocrach nan taighean stiola.

'S e slighe gu tur eadar-dhealaichte a th'ann gu Port Asgaig,'s i a' tairgse seallagain tharraingeach air àiteachan iomallach Ìle. Tha am bàta a' tionndadh gu tuath suas an Caol Ìleach, gu h-obann air taobh an fhuaraidh an Tàibh, ach a' strì ri sruth garg a' Chaoil. Chun an ear tha Diùra, is air an iar tha Ìle na laighe, neo-aoidheil, 's a cùl riut. Chithear corra bhoillsgeadh thaitneach, ghorm air ceann a deas Dhiùra: taigh mòr Dhiùra, coilltean an siud 's an seo, agus na trì Màman nach gabhar àicheadh – Beinn à Chaolais, Beinn an Òir, agus Beinn Shianta.

Air an taobh uaigneach seo de dh'Ìle – le chuid uamhan far an do thòisichear an toiseach air braiche – tha taigh-solais Rubha Mhic Artair a' libhrigeadh a rabhachan aonranach. Tha an crodh Gaidhealach, mar a bha bho shean, a' cagnadh na feamad gu stùirteil air na tràighean, gun sùil air à bhàta-aiseig. San dol a-steach gu Port Asgaig tha taigh stàtail Dhùn Losaid – dachaidh ghreadhnach an teaghlaich Schroeder – mud choinneimh anns na craobhan.

Chun an iar-dheis air Port Asgaig, gheibhear iarmad balbh Loch Fhionnlagain. Àite sàmhach, socair a th'ann air nach aithnichear cho cudromach 's a bha e uair ann an eachdraidh na h-Alba: b'e cridhe Tighearnas nan Eilean, dachaidh ceannardan Clann Dòmhnaill fad 400 bliadhna, bhon 12mh gun 16mh linn.

Tha trì eileanan ann, aon – a rèir beul aithris – air an robh Tighearna nan Eilean air a chrùnadh. Air Eilean na Comhairle, bhathar a' rianachadh gnothaichean riaghltais mar chòirichean seilbh agus ceistean lagha. Tha ceistean ann daonnan: càite an robh na maraichean sin bho air feadh taobh an iar na h-Alba, bho Leòdhas gu Maol Chinntire, a' fàgail nam bàtaichean? An robh àite gu leòr aca ann am Port Asgaig? Neo an tàinig iad air tìr aig Loch Indaal, 's an deach iad air an cois gu tuath? An do mharcaich iad? Co às a thàinig na bha sin de dh'eich? Carson nach eil dreach nas uaisle air Fionnlagan?

Stad aig an t-seann mhuilinn olainn, air a stèidheachadh ann an 1883, 's an-diugh a' reic ri Hollywood. 'S e àite air leth tarraingeach a tha seo, is fhathast aodaichean àlainn clòimhe air am fighe air beart innleachd Bhictorianach, ann an toglaichean air a bheil daonnan aire càraidh a dhìth. Theid thu seachad air Loch Indaal, sàmhach is air bhog le eòin. Sa gheamhradh chan urrain dhuit seachnadh nan milltean ghèadh `tearc', 's iad a' dubhadh na speuran, neo a' caismeachd slaodach thar nan achadh ghorm – a'magadh air tuathanaich Ìle.

Sios leat chun na Roinne, na laighe air taobh an iar an eilein. Shios aig a bhun tha Port na h-Abhainne is Bun Abhainn, dà bhaile bheag, bhìodach, bhòidheach. Tha dà dhoras air an eaglais phàrlamaideach aca, doras son gach baile. Anns a' bhàgh tha na ròin nan sìneadh, fìor thoilichte. Seachad air na bailtean prìseil sin, chithear taigh-solais eilean Orsaidh, thar oirthir na Roinne, agus tarsainn air garbh-shruthan, nam measg Caolas nan Gall – ach an dùil?!

Cha thuigear cho buileach faisg 's a tha Diùra air Ìle. Tha an t-aiseag beag chàraichean gad ghiùlain thar à chaolais gu Feòlainn. Cha toir an turas ach mionaidean, ach le neart an t-sruth, feumar dol thairis air cùrsa cearn-caol. Tha na Màman daonnan san t-sealladh, agus aig am bun tha an t-aona rathad singilte. Ach chan e a-mhàin na Màman a th'ann an Diùra. Tha an taobh an ear – mu choinneamh luchd spaideil na mòrthir – cho caoin ri taobh an ear-dheas Ìle. Gu deas tha gàrraidhean ionmholta Taigh Dhiùra, teanta tì ann san t-samhradh, agus earbsa pàighidh le bocsa onair. Feuch gun stad thu, bi onorach, dean às do na coilltean, theirig seachad air à bhalla-gàrraidh ainmichte. Beachdaich air na gàrraidhean sin, anns an t-seòrsa aimsir seo, sàr thoinisg an sàs ann a bhith a' breithneachadh 's a' cur, a' gabhail brath air Sruth a' Chamuis a tha a'cneadachadh na sgìre seo de Dhiùra nas càirdeile na àite eile. Ann am baile Taigh na Creige, tha bùth, taigh-stiola, talla, sgoil agus taigh-òsda ann an sàr-shuidheachadh le chuibhrionnan mòra bidh agus a chraobhan pailm allmharach. Tha geòlaichean nan laighe air acair. Ach chan eil an seo ach beag-shealladh.

Theirig gu tuath, gun chabhaig, thar an rathaid shingilte, gu Àird Lusa, 's à mach as à chàr gu Barnhill Orwell, far an do sgrìobhadh 1984.

Às a sin chan eil e cho fada coiseachd chun a bhàrr, Coire Bhreacain, far a bheil an cuairt-shlugan. Dh'fheuch Orwell air, agus cha mhòr nach deach a bhàthadh. Tha e air a' choire-cuain as motha san t-saoghal, ged nach eil e na bhoil na do shealladh, dìreach meall a' measradh 's a' slaopadh.

Àite uirsgeoil, òran: a' mhaighdean-mhara a'seinn `Bha mi'n raoir an Coire Bhreacain, Bidh mi nochd an Eilean I'. Tha uirsgeul ainm a' choire-chuain iongantach, agus tha fhios – mar is dual do na Gaidheil - gu tur dubhach: bha Breacan, Prionnsa Lochlannach, ag iarraidh nighean Tighearna nan Eilean a phòsadh. Gus dearbhadh gum b'fhiach e an nighean, thuirt a h-athair gum feumadh Breacan a bhàta a' sheòladh anns a' chuairt-shlugain fad trì latha. Ghabh e earal agus cheangal e a bhàta le trì ròpaichean: ròpa olann, ròpa ruadh, agus ròpa air a shnìomh le gruag maighdinn às Diùra.

Bhris an olann air a' chiad oidhche, an ròpa ruadh air an dara oidhche, agus an treas ròpa air an treas oidhche, seach nach robh a' mhaighdeann cho fìor 's bu chòir. Chaidh Breacan a bhàthadh. Chan eil dol às air na Màman. Theid agad air ruith orra, coiseachd orra, streap orra, amharc orra – ach cha tèid agad air an àicheadh. A' fàgail Port Asgaig air an t-slighe chun an Òbain,'s a'tadhail ann an Colbhasaigh 's e cho buileach fada 's a tha Diùra, 'san lagan crioslaichte na mheadhan a tha a' tighinn a-steach ort. Agus 's ann an uair a tha thu air an raon fairge seo air d'iadhadh le eileanan, a tha thu a' tuigsinn brìgh neart Tighearnas nan Eilean.

Ròin aig Loch an t-Sàilein
Loch an t-Sàilein seal

Air gach taobh dhiot, air do bheulaibh, air do chùlaibh, uile air fàire, tha eileanan – sguran is uamhan ceann a tuath Ìle, sineadh Dhiùra, tràighean bàna Cholbhasaigh. Dean cinnteach gu bheil thu air a' chlàr-uachdrach mar a tha seo uile ga leigeil fhèin fo do chomhair. Nad mhac-meanmainn, cuir thu fhein sa bhirlinn, a' slaodadh nan ràmh, a' faicinn nan teine-rabhaidh fad na h-oirthir – an-dràsda a' fàilteachadh, a rithist a' bàirleigeadh. Abair àm is àite. 'S a-nis gu Colbhasaigh. B'àbhaist gur e an t-aon bhàta, a' falbh às Loch Tairbeart an Iar, a bhiodh a' tadhal ann an Giogha, Diùra, Ìle 's Colbhasaigh,'s le sin bha mòran eòlais aig eileanaich air a chèile. An-diugh, 'sann às an Òban a tha aiseag a'frithealadh air Colbhasaigh, trì latha san t-seachdain, ach a-mhàin le clàr-ama an t-samhraidh, air Diciadain, bho Chèitean gu Sultain, thèid againn air faighinn às Ìle gu Colbhasaigh bho Phort Asgaig, Ìle.

Agus abair turas: suas caolas cumhang Ìle, Rubha a' Mhill, Rubha a' Bhachlaig, Cnoc na Pìobaireachd 's Rubha a' Mhail a' smèideadh ort às cinneas ghorm Ile, 's Beinn Shiantaidh,'s Beinn an Òir, 's Rubha a' Chrois Aoinidh a' labhairt riut le sìor fhior bhalbhachd às dìthreibh fhalamh, riabhach Dhiùra. A' falbh bho fhasgadh an dà eilean, tha an fhairge a' sìneadh romhad, glè thric tulgach 's air do làimh dheis fad air fàire, rabhadh meallaidh gaoir a' Choire Bhreacain.

Ach a-mach às an Tìr fo Thuinn air do làimh chlì, èiridh Colabhasaigh, air a chneadachadh le Orasaigh, eileanan sèimh nan sgaoilteach thràighean bàna gainmhich. Colbhasaigh – 's e sin ra ràdh Eilean Choilm. Oir 's na h eileanan seo àite eile far an do dh'fhàilnich air Colm Cille bochd na thuras-cuain, gun sealladh fhaotainn air Eireann, agus às am b'fheudair dha teicheadh gus an do ràinig e Ì às nach rachadh aige idir air sealladh fhaotainn air Eireann – agus mar sin, ann an Ì nam Manach bha fois-tuineachaidh aige bho ath-bheothachas cianalas na h-Eireann. Colm bochd.

Dè a dheanadh luchd-margaidh turasdachd eilananan Innse-Gall gu deas às aonais san latha a th'ann? Air fàire thig Beinn na Sgoltaire, Beinn nan Gudairean, Cill Chatain, Uragaig, Rubha Bàgh nan Capull, Rubha Eilean Mhàrtainn, ainmean lorgan–sluaigh nam fianais air suathadh sluaigh ri fearann.

A-steach leis a' bhàta gu Scalasaig, 's tha mi coiseachd cabhsair fada bho bhàta gu oifis ChalMac. Ann an oifis Chal Mac tha fear aig compiutair mu choinneamh na h-uinneig, 's Sandaidh a' bus 's fear neo dithis eile nan suidhe ann an cathraichean cuiseanach le sealladh air a' chabhsair bhon bhàta, nan suidhe mar Phàrlamaid Hiort neo caractairean sgeids a sgrìobhadh Tormod a' Bhocsair.

Cathair 1: 'It's yon one back ... He can't have had much of a welcome when he's back already.'

Cathair 2: 'Oh and the wee man with the briefcase ... aye ... Phone Maggie and tell them HE's in again.'

Cathair 1: 'And the man with the beard and the suit...the board development grant man that's who it is ... Tell Himself at the computer.' Sandaidh a'bhus: 'Oh, and here's herself back this time and it's two in tow ... not just one ... that will be excitement and a half.'

Cathair 2: 'Quite a few for the bus today, then.'

Anns a' Ghàidhlig tha mise a' bruidhinn's tha iad gam fhreagairt mar shèist:

'No, No, we don't speak it here now ... maybe old folk sometimes just now and then ... No.'

Tha mi anns a' bus suas gu Traigh Chill Òdhrain a tha a cheart cho àlainn 's a tha a mholadh; tha creag is cnoc, achadh, beinn is monadh a' fàs an glaic a chèile; tha deagh àiteachadh air oighreachdan thar nan linn, aig Clann'Ic Dhòmhnaill, Clann'Ic Nèill, 's am Morair Strathcona air cothroman bith-beò cothromach a thabhach air fearainn. A reir aithris, cha robh fuadaichean idir an eachdraidh Cholbhasaigh. Fhuair agus thug, na h-eileanan seo mòran beannachadh, gràs, tlàths is ealan mar a chithear anns an abaid agus anns na carraighean snaidhte, leithid clach uaighe Clann'Ic a' Phì, fianais snaidhte ann an Abaid Oransaidh a' crìonadh leis na linntean. 'S ged tha crìonadh, tha fàs. 'Se lionraidh nan làrach-lìn a tha a' tàladh an t-saoghail mhòir gu Colbhasaigh is Oransaigh an diugh, le cruth bith-eòlais is blàths Sruth a'Chamuis a' toirt fasgadh do fhàs nan lus-monaidh mar orchis Uragaig, lus nan cnàmh (sea samphire) is eilibear leig (marsh helleborine), 's nam palm, mar a chithear le eucalyptus is mimosa ann an garraidhean an

Taigh Mhòir. Ged nach eil, tha mi a' tuigsinn, na bailtean-fearainn a-nis gan leigeil a-mach air mhàl, ach air an oibreachadh leis an oighreachd fhein, tha taighean ùra gan togail, taighean ran reic, mòran thaighean samhraidh ram faotainn air mhàl, is àireamh an luchd-turais a tha a' turchairt air fìor-leug nan eilean seo a' sìor dhol am meud suas cabhsair ChalMac, 's iad a' dol fo sgrùdadh-cuspainn gun fhios daibh seachad air pàrlamaid nan cathair cuiseanach is Fear a' choimpiutair.

Ach, chan fhaodar campachadh ann an Colbhasaigh, neo dachaigh air chuibhlichean neo carabhan a thoirt a-steach ann. 'Se cuireadh gu sàmhchair is aonaranachd is iomallachd Cholbhasaigh – far am faigh thu raon-coise gu leòr dhuit fhèin is cothrom sìth gu do leabhar a sgrìobhadh – an sanas-tàlaidh, far am faic, is an cluinn thu cuideachd, buaidh dòighean-sàbhalaidh Dhualchas Nàdair is Chomann nan Eun. Tha soirbheachadh mòr ann an Eilean Choilm is Oransaigh air àrdachadh àireamh thraon is chathag dhearg; tha na lachan, na trilleachain tràghad, na stearnagan, eòin dhubh an sgadain, na caolmain Hiortach air mhire sna speuran, an guthan air a' ghaoith 's air siabadh nan suaile.

Anns an sgoil ath-nuadhaichte is dheagh-uidheamaichte, tha deichnear, is anns a'choimhearsnachd, triùir fo aois-sgoile. Tha dotair ann, is dà eaglais, ach chan eil ministear air an eilean. Tha bùth agus taigh-òsda am pàirt, eadar oighreachd is coimhearsnachd, tha mi a'tuigsinn. Agus is cinnteach nuair a chruinnichear le deoch-slàinte gum bi spiorad beothail, toinisgeil, mireagach, geur fuidheall an fhior Cholbhasach fhèin air fonn, is taibhsean MacTalla nan guth aig Clann'Ic Nèill is Clann'Ic Alastair Cholbhasaigh len òrain an lùib pong binn nan eun, a' sruthadh air bithbhuantachd nan sian:

"Thig dhachaidh, Thig dhachaidh,
Ciod thuige, Ciod thuige?
Gu do bhiadh, Gu do bhiadh,
Dè am biadh, Dè am biadh?
Bloigh bàirnich, Bloigh bàirnich,.
Bloigh boiteig, Bloigh boiteig."

Nach b'e Colm fhein a bha glic ... Dè an tairbhe a th'ann an cianalas? Bha agus bidh Colbhasaigh nam buadh buadhmhor.

Agus mar a tha sinn a' sigheadh gu slaodach dhan Òban,'s na tha sin de bhàtaichean beaga bòidheach dlùth air a' bhàta-aiseig 's i a'tarring a-steach dhan chala. Tha na taighean cho faisg air Caolas Chearraraidh nach eil e a' toirt nam chuimhne ach sigheadh nam plèin a' tighinn gu talamh ann an seann phort adhair Hong Kong, cho dlùth air dachaidhean 's nach mòr nach faiceadh tu steach ann an seòmraichean an t-sluaigh. Tha an cidhe na mhàl le bàtaichean mòra a' deanamh air na h-eileanan siar, seallaidhean àlainn, an taigh-stiola, faoin-thogallach Mhic Caig, taighean-seinnse is bùithtean tarraingeach bìdh faisg ri làimh – abair fhèin baile Mòid! Agus an rud as fhearr a th'ann dhuinne às na h-eileanan – bùth Tesco!

Tha an turas gu deas às an Oban ga do thoirt tro dhùthchas torrach Earra Ghàidheal: bog, mèath, gorm, am beul na mara. Stad aig Learg àlainn, Loch Mheall Phoirt, garraidhean Aird Uaine, an àite sam bith, sa h-uile àite, ach ge bith de nì thu, caith ùine ann an gleann mhiorbhaileach Chille Mhàrtainn. Cha ghabh inneas a dheanadh air dìreach mar làrach riatanach airc-eòlais àraid, sònraichte – cha ghabh sin a-steach na chìthear ann: tursachan, cuirn-tòrraidh, ealain chreag, dùintean, tèarmainn, agus creagan snaidhte, air fad rim faotainn anns an àite shìtheil, uile-tharraingeach seo. Tha baile Chill Màrtainn fhèin bòidheach, is ealain chreig brèagha air feadh an àite gu leir. 'S e seo far a bheil an Taigh-Tasgaidh Cultur Àrsaidh. Tha e air leth math, agus tha an t-àite bìdh Glìob a' Chùirn sgoinneil fhèin math. Nas fhaide gu deas, air an t-slighe gu Ceann Loch Gilb, tha Dun Àthad – fìor chridhe rìoghachd Dhail Riata, a chaidh a chur air chois nuair a ghabh a' chiad Scotti às Eireann sealbh air Dail Riata anns an 5mh 's an 6mh linn.

Mar Fionnlagain, 's gann gun gabh e a chreidsinn mar a chithear e na chumadh crìonaidh – ach stad, do mhac-meanmainn arithist: tha abhainn Àthad a' sìoladh a slighe tron Mhòine Mhòr, gun rathad, gun bhaile fearainn, dìreach làrach suidhichte cho ceart 's a ghabhadh. Faisg air làimh, fhuairear lorg air àite obair meatailt', na mheasg tha fuidheall stuthan a thug an casan às tìr na Mara Meadhanach. 'S mar sin, sinne às Earra Ghàidheal, nach sinne a tha air a bhith aoidheil ri sluagh an t-saoghail. Air an tèarmann fhèin, chithear an rud as miorbhailiche a dh'iarradh tu: sreath sgrìobhadh ogham, dealbh tuirc, agus lorgan a bhuineas – a rèir beul aithris – do dh'Oisean fhèin.

Seas na lorgan an seo, ann an Earra Ghàidheal, fìor chreathal nan Albannach, agus bi air do chunntadh leo!

Cìochan Dhiùraigh
Paps of Jura

Route 19: Tiree to Oban by Donald Meek

A boat-builder and seaman by nature, but an academic by profession. He has spent his working life teaching Gaelic and other Celtic languages, and researching Gaelic language, literature and history at the universities of Glasgow, Aberdeen and Edinburgh, and has held two Professorships. He has published numerous books and many articles, and, with Nick Robins, he wrote *The Kingdom of MacBrayne* (2006), which, he says, gave him infinitely more pleasure than any other piece of writing or research. He was Chairman of the Ministerial Advisory Group on Gaelic which recommended the setting up of Bòrd na Gàidhlig in 2003. When he retires he intends to resume his seafaring and boat-building interests.

RMS Claymore
RMS An Claidheamh Mòr

Route 19: A personal journey from Tiree to Oban

by Donald Meek

Tiree is the most westerly of the islands of the Inner Hebrides, lying some thirty miles south-west of Ardnamurchan Point. For those who have little immediate sense of geographical direction, its position may be simplified a little by noting that, when a traveller takes the modern car-ferry from Oban to Tiree, the ship will sail in a north-westerly direction, going through the Sound of Mull as far as Tobermory, before turning westwards towards Coll and Tiree. Ardnamurchan Point will be seen to the north-east. Normally she will stop first at Coll, and then proceed to Tiree. In all, the journey will take about four hours, with the sail from Coll, to Tiree lasting just under an hour.

It is a route that I know very well, since I have travelled it at least annually over fifty years and more. I was brought up on a croft at the east end of Tiree, in the township of Caolas, looking directly across to the island of Coll. My first language was Gaelic and Gaelic was the normal day-to-day language of the croft and the community. My parents and I lived with an extended family of elderly relatives, all of whom were born in the last quarter of the nineteenth century, and had wonderful Gaelic. They were my natural playmates and I was not aware of any age gap. As I worked and played with them, I heard an abundance of Gaelic stories, snatches of poems and songs, witty idioms and wise proverbs. Indeed, my great-uncle Charles, who was a shipwright to trade, made a fine collection of the Gaelic proverbs of Tiree. Until the age of sixteen, I received my formal schooling in Tiree, first at Ruaig Primary School (now converted into dwellings) and then at Cornaigmore Junior Secondary School (now Tiree High School). In 1965 I went to Oban High School and from there to Glasgow University and to Cambridge, but the best education I ever received was what was imparted to me by my elderly Tiree relatives, who were steeped in Gaelic tradition.

My first expeditions from Tiree to the mainland were made about the age of two, when my mother discovered that I had a 'squint' in my left eye. For that reason I had to visit the Eye Infirmary in Glasgow on a regular basis until the age of twelve or so. As part of my treatment, I had to match tigers with their cages, and cars with their garages by means of a machine which allowed me to steer the frames into alignment with one another. I also had to get used to very early rises, cold mornings and sea-sickness, but the ships themselves compensated for all of that. I cannot remember my earliest voyages on the steamship Lochness, but by the time I first became aware of the journey, I was absorbing the details of the ships on which I travelled. They were far better than cars and tigers and well worth the 'squint'!

My initial memories are linked to David MacBrayne's Lochearn, a ponderously slow motorship built in 1930 which wallowed her weary way from Oban to Tiree, and might take as long as six hours on the outward trip. However, as my relatives in 'Coll View' used to tell me, she was infinitely better than the Plover and the Dirk of earlier days. Sometimes my mother and I were forced to sleep overnight on the Lochearn and I can still feel the hot, claustrophobic atmosphere of her tiny cabins – and I will not easily forget my mother's terror of resident rodents!

In 1955 the *Lochearn* was replaced by the Denny-built Claymore, a much more up-to-date vessel capable of twelve knots but with a distinctive and unnerving vibration which made it hard to sleep or rest in her saloons. Her vibration would 'wind up' gradually to an all-embracing crescendo, and then sink back into a quiet phase, which lulled passengers into a false sense of relaxation. For all that, the Claymore was a very handsome ship and a good sea-boat, infinitely better than the ungainly Lochearn, and she could usually reach Tiree in about five hours. The Claymore maintained the service to Tiree and the Outer Isles from Oban until about 1973. She became my favourite vessel, and, despite her many idiosyncrasies, remains so. Visits to the bridge of the Claymore, courtesy of Captain John C. MacKinnon, MBE, a Tiree man who was my maritime hero, filled those early voyages with great excitement. John MacKinnon was a fine Gaelic story-teller, and when I was up on the bridge with him, I heard several tales which I can still recall vividly. One of these was about his visit to a certain man in Earnal, Tiree, who had the ability to cure the effects of the Evil Eye when they had been detected in cattle. Gaelic and storytelling were riveted into the plates of the Claymore. She was the Tiree boat – and, above all, my boat, my incomparable Gaelic boat, a detached chunk of my island.

Travel to and from the mainland on the Claymore implanted in me a sense of Tiree's position and distinctive features relative to the other islands of the Hebrides. As our home, 'Coll View', Caolas, looked across Gunna Sound to the island of Coll, we could see the Claymore every Monday, Wednesday and Friday as she sailed north through the sound to Barra and Lochboisdale.

The Claymore returned from the Outer Isles in the very early morning of Tuesday, Thursday and Saturday. Only when we needed to sail to Oban did we see her coming south. From our skylight window, we would look out anxiously for her lights as they came into view from the north about 4.30am, and by the time she was in the southern approaches of the sound we could set off for Scarinish pier, knowing that we would arrive about ten minutes or so before the Claymore. As we rattled our way to Scarinish in our van, I was filled with the tingling anticipation of being on her again.

The bridge of the Claymore gave me a splendid view of the natural panorama formed by islands and mainland. As we headed out of Scarinish, particularly on summer mornings, I could view my native part of Tiree from a different angle. Tiree is a low-lying, fertile island, punctuated by small hills, and three higher hills which Tiree people regard as 'bens', Beinn Ghot near the centre, and Beinn Hogh and Beinn Haoidhnis at the west end of the island.

The east end, to which I belonged, had no significant hills, but its sloping machairs, cultivated fields, and rough coastline, with its rugged little islands of Creachasdal and Lithibrig to the south-east, gave it a warm and friendly look. These place-names all contain Norse elements, and, as I sail on the contemporary Clansman or the Lord of the Isles, I sometimes try to imagine the days before 1200 when Norse longships with their great square sails cut through these same waters. I learned to identify all the houses as we sailed past and to this day I look out for 'Coll View' as it appears over the green slopes as we return or depart. I watch it until it slips into the flat machairs of the island or is lost behind another landmark. Tiree houses, firmly built of stone and larger than the average croft house, stand high above the island's coastline, like the sails of approaching ships.

It was then, and still is, a pleasure for me to see the houses of Caolas from the sea, and to realise in the process that, for this islander at least, knowledge and experience of the place itself take precedence over natural beauty.

As the Claymore passed Milton, on the southern shore of Caolas, I could see the very rocks where my father and I had gone shooting cormorants early in the morning, as a pink dawn dragged itself over the sea, and those black, heavy birds were lured into the shoreline, believing that a cap being waved by a young boy behind a rock was the wing of one of their own species. A steady aim, a pull of the trigger on a 12-bore shotgun ... and there was our dog, leaping into the heaving sea to retrieve the dead bird.

As I passed the familiar coastline, a verse of Gaelic song often came to mind, composed by a Milton man, Ailig MacDonald, who had experienced the same sense of 'leave-taking':

"On the morning of Thursday, I turned my back on Caolas,
and my beloved island which I keep always in mind;
there was little joy in my heart as I sailed past the township
which reared me as a lad, without sorrow or gloom."

To the north-west, I could see Dùn Mòr a' Chaolais, the Great Fort of Caolas, where I would sometimes go on a Sunday-afternoon excursion, and view the neighbouring townships, letting my eye stray across Ruaig and as far as the curve of glorious Gott Bay. Each feature of sea and land reflected something of human experience and formed a point of contact between me and my people, and between me and the island. I could be captivated by the beauty of the bigger, broader vistas which opened before me on the bridge of the Claymore, but these vistas were neutral in terms of human experience and they never won my heart in quite the same way.

As the Claymore reached Roisigil (another Norse name), I could see those waters where, in summer evenings, we had fished for saithe and lythe. I could feel again the tug of the successful line, and see the fish gasping on the wooden floorboards. By the time the Claymore passed the southern approach to Gunna Sound, I was in relatively unknown territory. The first port of call on the voyage from Tiree to Oban was Coll, the island which gave my home its name, 'Coll View', and which I could see on the other side of the sound every time I looked out of a front window. Yet Coll never became more than an island in the distance and I did not set foot on it until the late 1980s. It was very different from Tiree in its complexion; it seemed much more rocky and rugged, though it had fine white sands at its western end.

Gaelic was not as strong there as in Tiree, and large farms, noted for their dairy products and especially their cheese, had taken the place of crofts long since. The farmers were of mainly Lowland extraction. Even so, there was a fair bit of traffic between Tiree and Coll in earlier days. The 'Coll View' folk fished for lobsters and took their lobsters regularly to Arinagour, the main village in Coll where they were sold to an appropriately named fish-merchant called Sturgeon. One Caolas family, who were blacksmiths as well as fishermen, used to run a small boat across the sound to Coll, as required.

In my early days, Coll was (for me) synonymous with Gaelic poetry. One of my distant relatives, John MacLean, was poet to the Laird of Coll in the early nineteenth century. MacLean was a shoemaker to trade and lived in my native village of Caolas, Tiree, but he must have crossed to Coll many times to visit his patron. He is best known today for a song which he composed soon after he emigrated to Nova Scotia in 1819, and viewed the 'gloomy wood' which was to become his home. The last verse says much about his sense of having left his native community:

"... a subconscious sorrow has filled my being
since I must submit here all my life long,
with little pleasure in this constricting forest,
and no one asking if I'll sing a song.

That was not my custom when I was youthful –
at every table I loved to chat,
in jovial company, in hearty spirits,
in carefree style, as our time ran fast.

When I turned my back to you, I missed you greatly,
and my eyes wept tears in copious floods,
early on Thursday as we passed Caolas,
the ship under sail, and the wind off the coast."

Coll was also synonymous with small boats. For most of the time when I travelled regularly on the Claymore, from 1955 to 1973, Coll lacked a pier, and for that reason passengers, mail and cargo were transferred from the ship to the island and vice versa by one of MacBrayne's little 'red boats'. In those days, such vessels were called 'ferries', as there were no car-ferries of the modern type in the Hebrides. There was always an element of excitement in the encounter between the Coll ferry and the Claymore. The little vessel was manned by kenspeckle figures, most notably Neilly John, who was always to be seen in the forecastle, where he acted as the human capstan, hauling at the rope which was thrown from the Claymore. As iron-handed Neilly John heaved, the open-decked ferry rose and fell on the swell, her diesel engine puttering and spluttering, her cooling-system pumping water into the sea in pugnacious, white spoutings. Her straggly red ensign, fixed to a staff on top of the helm, fluttered in a confused manner in sympathy with the anxious look on passengers' faces. The Coll ferry and her gallant crew have now gained immortality in the sketches and stories of Katie Morag, whose authorial mother, artist Mairi Hedderwick, lived in Coll for many years.

On leaving Coll, the Claymore sailed eastwards towards Ardnamurchan. The passage from Coll to Ardnamurchan and the northern approaches to the Sound of Mull could be very rough in windy weather and I often stood with legs well apart at the stern, beside the jackstaff, to keep myself steady and free of seasickness as the vessel rolled in the heavy seas.

On a good morning, however, it was often unimaginably glorious. I recollect particularly clearly one morning in the late 1960s, when travelling to Glasgow University. The sun was rising in a soft, red glow over the mountains of the mainland, throwing Ben Shianta into a dark silhouette. To starboard lay the beautiful silhouette of Mull, with Ben More bold against the skyline and the volcanic plugs of the Treshnish Islands, looking dark and angular, like gigantic building blocks that had fallen into the sea, with a large dollop of concrete topping off the appropriately-named Dutchman's Cap.

By my late teenage years the land and landscape had become very meaningful to me in terms of history and story. Ben Shiant reminded me, as it continues to do whenever I see it, of the clearances which had been carried out ruthlessly on its slopes in 1828. The removal of the communities around its foot had roused the local medical doctor, John MacLachlan of Rahoy, to compose a song in which he expressed his deep sadness at the desolation which had been inflicted by the policies of James Riddell, the landlord, on that part of his estate. Families had vanished, driven out by the local farmer and only the rubble of houses remained, with rushes sprouting from their broken hearths. Few parts of Scotland have had a more tragic experience of population displacement than Ardnamurchan and the adjoining district of Morvern, and MacLachlan was shocked by what he saw on his own patch:

"As I climb up towards Ben Shiant,
my thoughts are filled with sadness,

seeing the mountain as a wilderness,
With no cultivation on its surface.

As I look down over the pass,
what a chilling view I have!

So many poor cottages in disarray,
in green ruins on each side,

and houses without a roof,
in heaps by the water-spring!

Where the fire and children once were,
that's where the rushes have grown tallest."

Morvern is a beautiful stretch of country and the fecundity of the landscape now disguises its history. As we passed Ardnamurchan and then Morvern to port, I in my boyhood innocence imagined that they must represent some land of delight, with their wooded slopes, castles and resonant place-names like Kilchoan and Lochaline and Ardtornish, which still linger on my tongue and tease my brain with their arcadian rhythms, in Gaelic and English. I loved to see Kilchoan in the distance and to count its houses.

As the Claymore swung past Ardnamurchan to the north-east, she entered the Sound of Mull, and called briefly at one of the most beautiful harbours in the whole of the Highlands and Islands – Tobermory. Its boxy but picturesque houses, dating back to its early days as a fishing port founded by the British Fisheries Society in the late eighteenth century, fringed the bay. The harbour was usually thronged with small boats and all sorts of interesting larger vessels, including naval craft, and even (for a period) a diving-support ship, which had come to aid the Duke of Argyll as he tried to improve his bank balance by recovering treasure from a Spanish warship – part of the great Armada – which had sunk in the bay many centuries ago. My uncle Charles had a splendid Gaelic story about her.

As soon as the Claymore had berthed, cargo would be heaved on and off as passengers clattered down the gangway. The Mishnish Hotel looked so close that I could almost put my hand through the door, while, up on the hillside, the palatial Western Isles Hotel stood guard. Off the port side, the motor-launch Lochbuie would glide into view, her elegant wake fanning astern and tie up on the far side of Tobermory pier. She seemed fragile and tiny, compared with the mighty Claymore.

And then we were off again ... the gangway would hit the pier with a flat bang ... the derrick would be aligned amidships and its hook secured above the Morris Minors and Ford Cortinas and Pickfords containers. When the mooring ropes had been cast off, the Claymore went briefly astern, but 'Full Ahead' on both engines would soon clang out impatiently on the telegraph. I would rush down to the stern to watch as the engines were restarted ahead, causing the wake to curdle to the most magnificent, rainbow-spangled froth that I had ever seen as the screws, suddenly halted in their reverse motion, bit the brine angrily in the opposite direction, stopped stern-way and pushed the bulky ship forward.

The Claymore would throb and shake and heave, like a floating earthquake, her distinctive, domed funnel coughing and spewing out clouds of spotty, oily smoke. Gradually the good ship would settle down to her customary twelve knots, rounding Calve Island, while her escort of seagulls had a shot at repainting her masts and her green canvas lifeboat covers, and delivering a 'surprise packet' to unsuspecting passengers. Who would have thought that this vibrating, rugged, seagull-tormented mailboat would end her days sailing like a yacht in the tranquil waters of Greece, far from Tobermory?

The Sound of Mull was, and remains, a joy of joys to me, particularly in fine weather. I have travelled through it in both directions, north and south, hundreds of times, and there is little that can surpass it for natural beauty in my estimation.

As I sail through, I hear a Gaelic song in my head, composed by the Rev. Dr John MacLeod of Morvern:

"Although I've travelled far, the Sound of Mull is my desire;
The sun has never risen on finer;
That is my beloved Sound to which I gave affection
From the days of my childhood and youth. "

Amen to that! I still search for Dr MacLeod's home, the Manse of Fiunary, as I go through the Sound. John MacLeod's brother Norman, 'The Highlanders' Friend', made a foundationally important contribution to Gaelic literature in the early nineteenth century. Curiously, Norman MacLeod wrote his famous Gaelic essays because he was aware that many who had become literate in the churches' Gaelic schools did not have a healthy variety of reading material. He would be surprised to know that even today, when there is a Gaelic medium stream in Tiree High School, the challenge to produce attractive Gaelic literature remains the same.

I took so many things for granted in those far-off days – Gaelic itself which I learned effortlessly as a child, the distinctive lifestyle of crofting, the beauty of the islands – but in recent years I have come to realise how immensely privileged I was to have had such a rich tapestry of natural and cultural features all around me as I sailed to and from Tiree. Every landmark was woven unconsciously into my Gaelic soul and formed part of my deepest being. Ardtornish Castle lay to port and to starboard at the 'bend' of the Sound, that magnificent mountain, Beinn Taladh. Duart Castle, stronghold of the Macleans of Mull, rose powerfully on its dark headland, reminding me of the gloomy tensions that had existed between the Macleans and the Campbells of Inveraray.

Despite these echoes of ancient strife, the Sound of Mull was always calm, tranquil, peaceful and the Claymore seemed to speed along, her vibrations less aggressive. The bridge relaxed too. I was permitted to hold the wheel with my 'pal' Angus Morrison, the Chief Engineer came up for a chat with the Officer of the Watch, and Charlie Hunter would emerge from his radio room. Coasters of all kinds would pass and other MacBrayne ships such as the Lochinvar or one of the cargo-boats. Sometimes we would 'race' the Lochinvar, a bizarre little veteran built in 1908, with her Meccano-like crane hovering over her stumpy funnel. Then Lismore Lighthouse would appear and it would be half an hour to Oban ... and the end of another delightful trip. Oh dear! But I could anticipate doing it all over again, travelling in the opposite direction from Oban to Tiree. Later, when I was a pupil at Oban High School and then a student at Glasgow University studying Celtic languages, I had many opportunities to sail home on the Claymore.

And still the idyll goes on, even without the incomparable Claymore. I love to stand on the pier at Oban or Scarinish, as the bulky Clansman looms large, or my 'wee friend', the Lord of the Isles, sails into view on a silver ribbon in summer days or batters through the autumnal gales. They are splendid ships of their kind, which make me feel proud of my roots in an intangible and indefinable way. I photograph them endlessly, always looking for the 'best shot', but never quite succeeding. Somehow, despite their bluff lines and incongruities, these vessels speak to me in the deepest parts of my being. They too are my ships, in their own way. Part of me is welded into their plates, because they fulfil a boyhood dream which would flash across my mind as I stood freezing on Scarinish pier those many years ago, waiting for the Claymore – the dream that, as shipping services improved, the Hebrides would be given the best ships that the country could afford and not outdated 'rust-buckets'. That has happened, and may it never change.

Sound of Mull
Caol Muile

Àireamh 19: Cuairt phearsanta à Tiriodh don Òban

le Dòmhnall Meek

'S e Tiriodh an t-eilean as fhaide siar de na h-Eileanan A-Staigh, 's e na laighe mu dheich mìle fichead an iar air Rudha Àird nam Murchan. Mas e 's gu bheil daoine ann nach eil eòlach air na h-àirdean stiùiridh sin, bidh e beagan nas fhasa dhaibh suidheachadh Thiriodh a thuigsinn ma bheir iad fa-near gu bheil neach-siubhail sam bith a tha a' gabhail an aiseig an-diugh às an Òban do Thiriodh a' seòladh an-iar thuath, 's am bàta a' gabhail tro Chaol Muile cho fada ri Tobar Mhoire, agus an uair sin a' tionndadh an iar gu Colla is Tiriodh. Chìthear Rudha Àird nam Murchan san ear-thuath. Am bitheantas, bidh am bàta a' stad ann an Colla an toiseach, agus an sin a' togail oirre do Thiriodh. Uile gu lèir, bidh an turas a' mairsinn mu cheithir uairean an uaireadair, agus an turas eadar Colla is Tiriodh beagan fo uair a thìde.

'S e sin cùrsa air a bheil mise gu math eòlach, bhon a tha mi air a bhith ga ghabhail uair sa bhliadhna co-dhiù fad lethcheud bliadhna is barrachd. Thogadh mi air croit ann an ceann an ear Thiriodh, ann am baile a' Chaolais, dìreach mu choinneamh eilean Cholla. B' i a' Ghàidhlig mo chainnt mhàthaireil, agus b' i a' Ghàidhlig cainnt làitheil na croite agus na coimhearsnachd. Bha mi fhìn 's mo phàrantan a' fuireach còmhla ri teaghlach mòr de luchd-dàimh a bha air tighinn gu aois, 's iad uile air solas an latha fhaicinn anns a' cheathramh mu dheireadh den naoidheamh linn deug, 's Gàidhlig eireachdail aca. B' iadsan a bhiodh a' cumail àbhachdas na h-òige rium, 's gun sgeul idir air na bliadhnachan mòra a bha gar sgaradh a thaobh aoise. Chuala mi aca am pailteas de sgeulachdan Gàidhlig, criomagan de dhàin 's de dh'òrain, gnàthsan-cainnte èibhinn agus sean-fhacail eirmseach. Gu dearbh, chruinnich bràthair mo sheanmhar, Teàrlach, a thug a-mach a cheàird mar shaor-bhàtaichean, stòras brèagha de shean-fhacail Thirisdeach. Gus an robh mi sia bliadhna deug, fhuair mi mo chuid sgoile foirmeil ann an Tiriodh, an toiseach ann am bun-sgoil Rubhaig (a tha a-nise air a roinn na taighean-còmhnaidh) agus an sin ann an Sgoil Dàrna Ceum Chòrnaig Mhòir (Ard-Sgoil Thiriodh san latha th' ann). Ann an 1965 chaidh mi do dh'Ard-Sgoil an Obain, 's às a sin chaidh mi do dh'Oilthigh Ghlaschu agus do Chambridge, ach b' e an t-ionnsachadh a b' fheàrr a fhuair mi riamh an t-oideachadh a thug mo sheana chàirdean ann an Tiriodh dhomh, 's iad mion eòlach air dualchas na Gàidhlig.

Ghabh mi mo chiad turais à Tiriodh gu tìr-mòr nuair a bha mi mu dhà bhliadhna a dh' aois, nuair a chunnaic mo mhàthair gun robh 'fiaradh' nam shùil chlì. Air an adhbhar sin, b' fheudar dhomh Ospadal nan Sùl ann an Glaschu a fhrithealadh gu cunbhalach gus an robh mi mu dhusan bliadhna a dh'aois. Mar phàirt den leasachadh, bha agam ri tìogaran a chur nan gainntirean, agus carbadan nan garaidsean, le bhith a' cleachdadh inneal a bha a' ceadachadh dhomh na frèamaichean a ghluasad gus am biodh iad a' co-fhreagairt air a chèile. B' fheudar dhomh cuideachd fàs cleachdte ri moch-eirigh, maidnean reòta agus tinneas-mara, ach bha na bàtaichean fhèin nan èirig phrìseil airson gach cruadail. Chan eil cuimhne agam idir air mo chiad turais air a' bhàta-smùide Lochness, ach nuair a thàinig mothachadh thugam air mo thurais an toiseach, bha mi a' toirt fa-near gach nì a bhuineadh do na bàtaichean air an robh mi a' seòladh. Bha iadsan fada na bu taitniche leam na na tìogaran agus na carbadan, agus bu mhath b' fhiach iad am 'fiaradh' a bha nam shùil.

Tha mo chiad chuimhneachain air an snìomh anns an Lochearn aig Dàibhidh Mac a' Bhriuthainn, bàta-motair air leth màirnealach a chaidh a togail ann an 1930, 's a bhiodh a' plumadh 's a' plubadaich eadar an t-Òban is Tiriodh, 's air uairean a' gabhail cho fada ri sia uairean a thìde air an t-slighe a-muigh. Ach, mar a bhiodh mo chàirdean anns a' Chaolas ag innse dhomh, bha i fada fichead uair na b' fheàrr na am Plover 's an Dirk a bhiodh a' frithealadh an eilein aig aon àm.

Uaireannan, thigeadh ormsa is air mo mhàthair cuid oidhche a ghabhail air an Lochearn, agus fairichidh mi fhathast an teas agus an cuingealachadh a bha a seòmraichean-cadail beaga ag adhbharachadh – agus chan ann air luathas a dhìochuimhnicheas mi an dearg eagal a bha air mo mhàthair gun nochdadh na creutairean beaga criomach a bhiodh a' còmhnaidh nam broinn! Ann an 1955 thàinig an Claymore thugainn an àite an Lochearn. Chaidh an Claymore a thogail le Denny, 's bha i gu math na b' fhaisge air feumalachdan an ama, agus comasach air dusan mìle mara san uair, ach bha i cuideachd air a sònrachadh le critheanaich eagalach a bha a' toirt dùbhlan do neach sam bith a bhiodh a' feuchainn ri cadal no fois fhaighinn na seòmraichean. Bhiodh a' chritheanaich seo a' sìor dhol an dèinead gus am biodh gach nì a' crathadh, agus an sin a' sìoladh air ais gu sàmhchair, a' mealladh an luchd-aisig gu bhith a' creidsinn gun robh an dòrainn aig ceann. A dh'aindeoin sin, 's e bàta snasail a bh' anns a' Chlaymore, agus bha i comasach ann am fairge, gu math na bu chomasaiche na an Lochearn spleogach, agus mar a bu trice ruigeadh i Tiriodh an taobh a-staigh de chòig uairean an uaireadair.

Bhiodh an Claymore a' frithealadh Thiriodh is nan Eileanan A-Muigh bhon Òban gu timcheall air 1973. B' ise am bàta a b' fheàrr leam seach gach tè a bh' ann riamh, agus, a dh'aindeoin gach neònachais a bh' innte, 's i as fheàrr leam fhathast. Bhithinn air mo dhòigh air na turais sin nuair a gheibhinn cuireadh chun na drochaid bhon sgiobair aice, an Caiptean Teonaidh C. MacFhionghain, MBE, Tirisdeach a bha mise a' meas mar mo churaidh-mara sònraichte fhìn. 'S e sgeulaiche ealanta a bha ann an Teonaidh MacFhionghain, 's nuair a bhithinn air an drochaid còmhla ris, chluinninn naidheachdan air a bheil deagh chuimhne agam fhathast. Aon turas, dh'innis e dhomh gun deachaidh e gu duine sònraichte ann an Eàrnal, ann an Tiriodh, aig an robh eòlas airson an Droch Shùil a leigheas nuair a bheireadh i buaidh air a' chrodh. Bha a' Ghàidhlig agus na sgeulachdan air am fighe anns na lannan agus na clàir aig a' Chlaymore. B' ise *bàta Thiriodh* – agus b' ise gu sònraichte *mo bhàta-sa*, mo bhàta gràdhach Gàidhlig, sgolb den eilean agam fhìn a bha air togail air gu muir.

Thug gach taisdeal a rinn mi air a' Chlaymore beachd dhomh air mar a bha Tiriodh air a shuidheachadh agus air a shònrachadh am measg eileanan Innse Gall. Bhon a bha ar taigh-còmhnaidh, 'Coll View', anns a' Chaolas, a' sealltainn a-null thar Sruth Ghunna gu eilean Cholla, chitheamaid an Claymore gach Diluain, Diciadain is Dihaoine, 's i a' seòladh mu thuath tron t-sruth gu Barra is Loch Baghasdal. Thilleadh an Claymore bho na h-Eileanan A-Muigh tràth gach madainn Dimàirt, Diardaoin is Disatharna. 'S ann a-mhàin nuair a dh'fheumamaid seòladh don Oban a chitheamaid i a' tighinn mu dheas. Bho uinneig na lobhta, sheallamaid airson a cuid solais le tomhas de dh'imcheist, 's iad a' nochdadh bhon tuath mu 4.30am. Nuair a bha i ann an ceann a deas an t-sruth, dh'fhaodamaid togail oirnn gu ceidhe Sgairinis, 's a bhith cinnteach gun ruigeamaid thall mu dheich mionaidean air thoiseach oirre. Am feadh 's a bhiodh a' bhan a' glagadaich air an rathad, bhithinn-sa a' dèanamh fiughair gum bithinn a' seòladh oirre a-rithist.

Bheireadh drochaid a' Chlaymore sealladh farsaing, brèagha dhomh air an dòigh anns an robh na h-eileanan agus tìr-mòr air an cruthachadh agus air an suidheachadh a rèir a chèile. Nuair a thogamaid a-mach à Sgairinis, gu sònraichte air maidnean samhraidh, chìthinn mo cheàrn dùthchasach fhìn de Thiriodh bho àird eile. 'S e eilean ìosal, torach a tha ann an Tiriodh, le cnuic bheaga ag èirigh os cionn a rèidhlein, agus trì cnuic a tha nas àirde na 'n còrr 's a tha na Tirisdich fhèin a' meas mar 'bheanntan', Beinn Ghot faisg air a' mheadhan, agus Beinn Hogh agus Beinn Haoidhnis sa cheann an iar. Cha robh cnoc suaicheanta sam bith sa cheàrn agamsa, ach bha a mhachraichean, a bha a' claonadh chun a' chladaich, a phàircean àitichte, agus a chòrsa creagach, le eileanan beaga Chreachasdail is Lithibrig san eara-dheas, a' cur fiamh a' chàirdeis air. Tha eileamaidean Lochlannach anns na h-ainmean sin uile, agus, nuair a bhios mi a' seòladh air a' Chlansman no air an Lord of the Isles san là an-diugh, bidh mi a' feuchainn ri dealbh a dhèanamh air na linntean ro 1200 nuair a bhiodh birlinnean Lochlannach, len siùil mhòra, cheàrnagach, a' falbh le sgrìob tro na h-uisgeachan sin.

Le beagan cleachdaidh, dh'aithnichinn gach taigh sa bhaile nuair a bhitheamaid a' dol seachad, agus chun an là an-diugh bidh mi a' cumail mo shùla airson 'Coll View', nuair a nochdas e os cionn nan rèidhleanan gorma 's sinn a' tilleadh no a' fàgail. Bidh mi a' gabhail beachd air gus an tèid a thoirt bhuam le machraichean còmhnard an eilein, no gus an caillear e air chùl comharradh-tìre eile. Tha na taighean Tirisdeach, a tha air an togail gu diongmholta le cloich agus a tha nas motha na taighean-croite àbhaisteach, a' seasamh àrd os cionn cladach an eilein, mar shiùil luingeis a tha a' teannadh ort thar fàire.

Bha, agus tha, e na thoileachadh dhomh a bhith a' faicinn taighean Thiriodh bhon chuan, agus an lùib sin a bhith a' tuigsinn gu bheil eòlas is aithne air an àite fhèin nas luachmhoire na bòidhchead nàdarra, don eileanach seo co-dhiù.

Nuair a bhiodh an Claymore a' dol seachad air Milton, air cladach a deas a' Chaolais, chithinn na dearbh chreagan far am bithinn fhìn agus m' athair a' sealg nan sgarbh tràth sa mhadainn, agus am fàire beag air bheag a' teannadh ri ruiteachd bhàn, am feadh 's a bha na h-eòin dhubha, throma sin air am mealladh chun a' chladaich, 's iad an dùil gun robh currac a bha ga chrathadh an làimh balaich co-ionnan ri sgiath aon den seòrsa fhèin. Deagh chuimse, agus draghadh air triogair a' ghunna 12-bòr … agus bhiodh an cù againn a' leum don mhuir luasganaich airson an t-eun marbh a thoirt air tìr. Nuair a bhithinn a' dol seachad air còrsa m' eòlais, bhiodh rann à òran Gàidhlig gu tric a' tighinn thugam, oran a rinneadh le fear a mhuinntir Mhilton, Ailig Dòmhnallach, a bha mion-eòlach air a bhith a' fàgail soraidh san aon dòigh:

"Air madainn Diardaoin thug mi cùl ris a' Chaolas,
'S rì eilean mo ghaoil a tha daonnan nam smuain;
'S beag sunnd a bh' air m' aire dol seachad am baile
Rinn m' àrach nam bhalach, gun smalan, gun ghruaim."

Chun an iar-thuath, chithinn Dùn Mòr a' Chaolais, far am bithinn a' gabhail sràid uaireannan air feasgar Sàbaid, 's a' togail seallaidh air na bailtean a b' fhaisge oirnn, a' leigeil le mo shùil seòladh a-null gu Rubhaig, 's cho fada ri rìombal àlainn Bàgh Ghot. Bha gach mìr den mhuir 's den tìr nam pàirt de dhùthchas an t-sluaigh, 's mar bhann eadaram fhìn is mo dhaoine, eadaram fhìn is an t-eilean. Bhithinn air mo bheò-ghlacadh leis na seallaidhean mòra a bhiodh a' fosgladh romham air drochaid a' Chlaymore, ach cha robh iadsan nam pàirt dem aithne phearsanta, agus cha do ghluais iad mo chridhe riamh san aon dòigh. Nuair a ruigeadh an Claymore Roisigil (ainm Lochlannach eile), chithinn na h-uisgeachan far am bitheamaid, air feasgar samhraidh, a' ruith liughachan is chudainnean. Dh'fhairichinn a-rithist spìonadh na loidhne a fhuair grèim, agus chithinn an t-iasg a' plosgail le cion analach air na clàir fhiodha.

Nuair a ruigeadh an Claymore ceann a deas Sruth Ghunna, cha robh mi idir cho eòlach air na h-uisgeachan. B' e Colla a' chiad phort anns an tadhladh an Claymore air a turas à Tiriodh don Òban. B' e sin an t-eilean a thug an t-ainm 'Coll View' don dachaigh agam, agus chithinn e air an taobh thall den t-sruth gach uair a sheallainn tron uinneig bheòil. Ach b' e eilean air fàire a-mhàin a bha ann Colla dhòmhsa, agus cha do chuir mi cas air tìr ann gu deireadh nan 1980an. Bha e gu math deifirichte seach Tiriodh na cruth; a rèir choltais, bha e pìos na bu chorraiche 's na bu chreagaiche, ged a bha cladaichean geala gainmhich air an taobh an iar. Cha robh a' Ghàidhlig idir cho làidir an sin 's a bha i ann an Tiriodh, 's bha tuathanasan mòra, a bha comharraichte airson am bainne 's an càise, air àite nan croitean a ghabhail o chionn fhada. Bhuineadh sinnsearan nan tuathanach don Ghalldachd. A dh'aindeoin sin, bha tomhas math de choluadar eadar Tiriodh is Colla san àm a dh' fhalbh. Bhiodh muinntir 'Choll View' ag iasgach ghiomach, agus bhiodh iad gan toirt do dh'Airigh nan Gobhar, prìomh bhaile Cholla, far am biodhte gan reic ri fear air an robh an t-ainm freagarrach, Sturgeon. Bha aon teaghlach sa Chaolas a bha nan goibhnean a bharrachd air a bhith nan iasgairean, agus bhiodh iad a' toirt an aiseig do dhaoine thar an t-sruth do Cholla, mar a thigeadh feum.

An toiseach m' òige, bha Colla (dhòmhsa) co-ionnan ri bàrdachd na Gàidhlig. Bha aon de mo chàirdean fad às, Iain MacIlleathain, na bhàrd do Thighearna Cholla tràth san naoidheamh linn deug. Thug MacIlleathain a-mach ceàird a' ghreusaiche, agus bha e a' fuireach ann am baile m' àraich, an Caolas ann an Tiriodh, ach chan urrainn nach do ghabh e an t-aiseag do Cholla gu math tric ann an seirbhis oide. Tha e ainmeil an-diugh airson aon òran a rinne an dèidh dha imrich a dhèanamh do dh'Albainn Nuaidh ann an 1819, 's e a' gabhail beachd air a' 'choille ghruamaich' a bha ri bhith na dachaigh dha.

Tha na rannan mu dheireadh den òran a' cur an cèill gu brìoghmhor mar a bha e a' faireachdainn mu bhith fàgail na coimhearsnachd far an deachaidh àrach:

"... Tha mulad dìomhair an dèidh mo lìonadh
On is èiginn strìochdadh an seo rim bheò,
Air bheag thoil-inntinn sa choille chruinn seo,
Gun duine faighneachd an seinn mi ceòl.

Cha b' e sin m' àbhaist an tùs mo làithean,
Is ann bhithinn ràbhartach aig gach bòrd,
Gu cridheil sunndach an comann cùirteil,
A' ruith ar n-ùine gun chùram òirnn.

An uair thug mi cùl ribh bha mi gur n-ionndrainn,
Gun shil mo shùilean gu dlùth le deòir,
Air moch Diardaoin a' dol seach an Caolas
Is an long fo h-aodach 's a' ghaoth on chòrs."

Bha Colla cuideachd a' samhlachadh bhàtaichean beaga. Airson na mòr-chuid den ùine a bhithinn a' siubhal gu cunbhalach air a' Chlaymore, bho 1955 gu 1973, cha robh ceidhe ann an Colla, agus mar thoradh air sin bhiodh luchd-siubhail, meilichean agus carago gan aiseag bhon bhàta mhòr chun an eilein, agus an rathad eile, le aon de 'bhàtaichean beaga dearga' Mhic a' Bhriuthainn. Anns na lathaichean ud, chante 'ferries' ris na bàtaichean sin sa Bheurla, a chionn 's nach robh bàtaichean-aiseig chàraichean den t-seòrsa ùr anns na h-Eileanan.

Bha e daonnan na adhbhar annais is togail-inntinn nuair a bhiodh bàt'-aiseig Cholla agus an Claymore a' tighinn ri taobh a chèile. Bha sgioba a' bhàta bhig gu math suaicheanta, 's gun neach na bu shuaicheanta na Neilly John, a bha daonnan ri fhaicinn an toiseach a' bhàta, far an robh e ag obair na cheap-draghaidh daonnda, a' slaodadh an ròpa a bhiodhte a' tilgeil bhon Chlaymore. Mar a bhiodh Neilly John a' slaodadh an ròpa le chrògan iarainn, bhiodh am bàta beag a' tumadh 's a' tulgadh anns an stoth, a h-inneal dìosail a' casadaich 's a' brùnndail, 's a rian-fuarachaidh a' spùtadh uisge don mhuir na steallan geala, eangarra.

Caisteal Bhreacachaidh,
an Cola
Breachacha Castle, Coll

Bhiodh a bratach robach, dhearg, ceangailte ri crann beag air mullach an fhailmeadair, a' crathadh gu lapach, mì-chinnteach, mar gum biodh co-fhaireachdainn aice ris an iomagain a bha air aodainn an luchd-aisig. Tha bàta beag Cholla agus a sgioba treun air cliù neo-bhàsmhor a chosnadh a-nise anns na dealbhan agus na sgeulachdan mu Cheitidh Mòrag. Bha an t-ùghdar, Màiri Hedderwick, a' fuireach ann an Colla fad iomadh bliadhna.

Nuair a dh'fhàgadh i Colla, bhiodh an Claymore a' seòladh sear gu Àird nam Murchan. Ann an sìde ghaothail, dh'fhaodadh an t-aiseag eadar Colla is Àird nam Murchan agus ceann a tuath Chaol Muile a bhith anabarrach mosach, agus bu mhinig a sheasainn aig a' chrann-brataich aig deireadh na luinge le mo dhà chois deagh astar o chèile, feuch am fanainn nam sheasamh, saor bhon tinneas-mara, 's am bàta a' rolladh anns an fhairge ghairbh. Air madainn mhath, ged tha, bhiodh an sealladh gu tric air leth maiseach. Is cuimhne leam gu sònraichte aon mhadainn aig deireadh nan 1960an, 's mi a' siubhal gu Oilthigh Ghlaschu. Bha a' ghrian ag èirigh le fiamh bog, ruiteach thar sgiath nam beann air tìr-mòr, 's Beinn Shianta mar sgàil dhorcha ma coinneamh. Chun na làimh dheis, chìthinn soilleireachd àlainn Mhuile, 's a' Bheinn Mhòr rag ri aghaidh nan speur, 's Eileanan Threisnis, cruthaichte nan caoban le beinn-theine, a' nochdadh gu h-eagach, dubh, mar chlachan-togalach a bha air tuiteam don mhuir, 's bloigh de choncriot a' cur currac air Ceap an Dùidsich, a bha air a dheagh ainmeachadh.

Nuair a bha mi a' teannadh ri fichead bliadhna a dh'aois, bha mothachadh mòr agam air gach sgeul is eachdraidh a bha co-cheangailte ris an tìr agus ri dreach na dùthcha. Gach uair a chìthinn i, bhiodh Beinn Shianta a' cur nam chuimhne (mar a tha i a' dèanamh gus an là an-diugh) mar a chaidh an sluagh a sgiùrsadh às an dachaighean air a' bheinn ann an 1828.

Chuir fuadach nan coimhearsnachdan aig a cois gleus bàrdachd air lighiche na sgìre, Iain MacLachlainn à Rathuaidhe, agus chruthaich e òran anns an do leig e ris a mhulad, 's e a' faicinn mar a rinn rùintean an uachdarain, Seumas Riddell, fàsach den cheàrn sin da oighreachd. Chaidh teaghlaichean às an t-sealladh, fo shlat-sgiùrsaidh tuathanach an àite, 's cha robh sian air fhàgail ach na tobhtachan, 's raineach a' fàs às na cagailtean briste. Chan eil mòran cheàrnan an Albainn a chaill barrachd sluaigh na Àird nam Murchan agus a' Mhorbhairn ri thaobh. Bha MacLachlainn air uamhasachadh leis na chunnaic e san sgìre air an robh e fhèin eòlach:

"Dìreadh a-mach ri Beinn Shianta,
Gur cianail tha mo smuaintean,

A' faicinn na beinne na fàsach
'S i gun àiteach air a h-uachdar;

Sealltainn a-sìos thar a' bhealaich,
'S ann agamsa tha 'n sealladh fuaraidh.

'S lìonmhor bothan bochd gun àird air
Air gach taobh nan làraich uaine,

Agus fàrdach tha gun mhullach
Is na thulaich aig an fhuaran.

Far an robh an teine 's na pàisdean,
'S ann as àirde dh'fhàs an luachair."

'S e dùthaich àlainn a tha anns a' Mhorbhairn, ged a tha torachas na tìre nar latha fhìn a' falach a h-eachdraidh. A' dol seachad air Àird nam Murchan agus air a' Mhorbhairn air an làimh chlì, bhithinn-sa a' bruadar ann an neochiontachd na h-òige gur h-e tìr an àigh a bha an seo, le a leathadan coillteach, a caistealan, agus a h-ainmean ceòlmhor, mar Chille Chòmhain agus Loch Alainn agus Àird Tòirinis. Tha na h-ainmean sin fhathast milis air mo theangaidh, 's a' tàladh m' eanchainn leis an draoidheachd a th' annta, an Gàidhlig 's am Beurla. B' fhìor thoigh leam a bhith a' faicinn Chille Chòmhain thall air astar, agus a' cùnntas taighean a' bhaile.

Nuair a chuireadh an Claymore cùl ri Àird nam Murchan san ear-thuath, ghabhadh i a-steach do Chaol Muile, agus thadhladh i airson ùine ghoirid ann an aon de na puirt as bòidhche anns a' Ghàidhealtachd agus na h-Eileanan gu lèir – Tobar Mhoire. Bha a chuid thaighean cruinn mu iomall a' bhàigh, nam bocsaichean dreachmhor a bha a' dol air ais gu na lathaichean anns an deachaidh a stèidheachadh mar phort le Comann Iasgaich Bhreatainn aig deireadh na h-ochdamh linn deug.

Bhiodh an acarsaid fhèin air a lìonadh mar a bu trice le bàtaichean beaga, agus le cuid a bha gu math mòr, leithid luingeas na Cabhlaich Rìoghail. Rè tamaill, bha long ann a bha a' toirt taic do luchd-daidhbhidh a bha a' dèanamh tròcair air Diùc Earra-Ghàidheal 's e a' feuchainn ri a chunntas-banca a chur am meud le bith a' togail ionmhas à bàta-cogaidh Spàinteach – aon den Armàda mhòr – a chaidh fodha anns a' bhàgh o chionn iomadh linn. Bhiodh Teàrlach, bràthair mo sheanmhar, ag innse sgeulachd bhrèagha mu deidhinn.

Cho luath 's a bhiodh an Claymore ri port, bhiodh an carago ga thogail a-mach s a-steach, am feadh 's a bhiodh an luchd-aisig a' teàrnadh a' chlàir-choiseachd gu faramach. Shaoilinn gum faodainn mo làmh a chur tron doras, leis cho faisg 's a bha Taigh-òsda Mhisnis, mas fhìor, agus lùchairt eireachdail Thaigh-òsda nan Eileanan an Iar ri geàrd air mullach a' bhearraidh. Thall air an làimh chlì, thigeadh an eathair-mhotair, an Lochbuie, am follais, a' gearradh sgrìob ghrinn tron uisge, 's a' fàgail chuartagan ealanta às a dèidh. Rachadh a ceangal ri taobh thall ceidhe Thobar Mhoire, 's i a' coimhead cho beag is cho brisg, an taice ris a' Chlaymore chumhachdach.

Agus an sin a-mach leinn a-rithist … bhuaileadh an clàr-coiseachd an ceidhe le brag…rachadh an dearag a tharraing gu meadhan na luinge agus rachadh a chromag a cheangal os cionn càraichean Morris Minor is Ford Cortina agus bocsaichean mòra Phickfords. Nuair a bhiodh na ròpaichean air an tilgeil gu tìr, rachadh an Claymore an deireadh airson ùine ghoirid, ach gun dàil bhiodh òrdugh Làn Chumhachd air Adhart air gach einnsean air èigheach gu gliongach, fonnmhor air an teileagraph.

Ruithinn-sa chun an deiridh gus am faicinn dè thachradh nuair a rachadh na h-innealan ath-thòiseachadh gu bhith a' dol air adhart. Bhiodh uisge na stiùireach a' dol na chobhar cho maiseach 's a chunnaic mi riamh, 's boghachan-froise lainnireach ga sgeadachadh, nuair a rachadh grad-atharrachadh a dhèanamh air tionndadh-deiridh nam proipealairean, agus a ghreimicheadh iad gu feargach san t-sàil airson an long iomain an rathad eile, a' cur casg air a gluasad gu deireadh, agus a' putadh na luinge truime air thoiseach. Thigeadh crith is crathadh is luasgan air a' Chlaymore, mar chrith-thalmhainn air uchd a' chuain, agus, le casad no dhà, sgeitheadh a similear cruinn, comharraichte a-mach toit neulach air a lìonadh le spotan-saoidhe is ùileadh. Beag air bheag, shocraicheadh am bàta na ceum, agus ruigeadh i a dusan mìle-mara àbhaisteach, a' fuaradh Eilean Chalbhaidh, am feadh 's a bhiodh sgaoth fhaoileag a' dèanamh an dìchill na cruinn agus còmhdaichean uaine a bàtaichean-teasairginn a pheantadh às ùr, agus 'pasgan beag bòidheach' a bhuileachadh air an luchd-aisig gun fhios daibh.

Cò a chreideadh gun tigeadh an latha a bhodh am bàta-mheilichean corrach, critheanach seo, a bha air a sàrachadh leis na faoileagan, a' seòladh mar long-thoileachais ann an uisgeachan sèimhe na Mara Meadhanaich, fada bho Thobar Mhoire?

B' e Caol Muile mullach mo shòlais an uair ud, agus 's e th' ann fhathast, gu sònraichte ri deagh shìde. Ghabh mi an t-aiseag troimhe, mu thuath 's mu dheas, ceud uair is barrachd, agus chan eil mòran àiteannan ann, nam bharail-sa, a ghabhas coimeas ris a thaobh bòidhchead.

Gach turas, cluinnidh mi nam cheann òran Gàidhlig a rinneadh leis an Ollamh Urr. Iain MacLeòid, a bha anns a' Mhorbhairn:

"Ged shiubhail mi cian, b' e Caol Muile mo mhiann;
Cha d' èirich a' ghrian air nas bòidhch';
B'e siud Caol mo ghràidh dan tug mise bàidh,
O làithean mo leanabais is m' òig'."

Cuiridh mise 'Amen' ris a sin! Bidh mi fhathast a' cumail seallaidh feuch am faic mi dachaigh an Dr MhicLeòid, Mansa Fhionnairigh, 's mi a' gabhail tron Chaol. B' e a bhràthair Tormod, 'Caraid nan Gàidheal', a leag bunait litreachas na Gàidhlig aig toiseach na naoidheamh linn deug. 'S fhiach cuimhneachadh gun do sgrìobh Tormod MacLeòid na h-aistidhean a thug cliù dha a chionn 's gun do mhothaich e nach robh taghadh farsaing, fallain de stuth-leughaidh aig mòran de na daoine a bha air comasan leughaidh a thogail ann an sgoiltean Gàidhlig nan eaglaisean. Chuireadh e ioghnadh air nam biodh fhios aige gu bheil daoine fhathast a' strì ri litreachas grinn Gàidhlig a chruthachadh, ged a tha struth-teagaisg tro mheadhan na Gàidhlig ann an Ard-Sgoil Thiriodh san latha seo.

Ghabh mi ri iomadh rud gun smuaint a bharrachd anns na lathaichean ud a dh'aom – a' Ghàidhlig fhèin, a dh'ionnsaich mi gun strì nam phàiside, dòigh-beatha air leth air a' chroit, maise nan eilean – ach o chionn bliadhna no dhà dhrùidh e orm gur h-e sochair da-rìribh a bha ann a bhith air mo chuartachadh leis an ealain nàdarra a bha cho follaiseach aig ìre dualchais is cruth na tìre, gach uair a sheòlainn à Tiriodh. Bha gach comharradh-tìre air a thoinneamh gu teann, agus gun fhios domh, ann an doimhneachd m' anama, mar phàirt dem fhèin-fhiosrachadh agus dem bhith-beò mar Ghàidheal. Bha Caisteal Àird Tòirinis an siud air an làimh chlì, agus air an làimh dheis, aig an 'lùib' anns a' Chaol, a' bheinn àghmhor ud, Beinn Taladh. Bha Caisteal Dhubhaird, daingneach Chloinn Illeathain Mhuile, ag èirigh gu greadhnach air an rudha dhorcha, a' cur nam chuimhne nan gamhlasan greannach a bha uaireigin nan adhbhar connspaid eadar Clann Illeathain agus Caimbeulaich Inbhir Aora.

A dh'aindeoin nan cuimhneachan sin air aimhreitean o shean, bha Caol Muile daonnan ciùin, sèimh, sìochail, agus ar leam gum biodh an Claymore fhèin a' togail oirre gu sunndach, 's a critheanaich gu math na bu shocraiche. Bhiodh cùisean a' socrachadh air an drochaid cuideachd. Gheibhinn-sa cead a' chuibheal-stiùiridh a ghabhail nam làimh fo iùil mo dheagh charaid, Aonghas Moireasdan, thigeadh an t-Ard-Innleadair a-nìos airson còmhradh ri Oifigear na Faire, agus nochdadh Teàrlach Mac an t-Sealgair à seòmar an rèidio. Ghabhadh bàtaichean-còrsa de dh'iomadh gnè seachad oirnn, agus bàtaichean eile de chabhlach Mhic a' Bhriuthainn, mar an Lochinvar no aon de na bàtaichean-carago.

Uaireannan, dhèanamaid 'rèis' ris an Lochinvar, seann long bheag annasach a thogadh ann an 1908, le a cran beag air dhreach meacano os cionn a simileir cutaich. An uair sin nochdadhtaigh-solais Lios Mòir, agus cha bhiodh air fhàgail ach leth-uair gus an ruigeamaid an t-Òban ... agus deireadh turas àlainn eile. Och, och! Ach bha deagh fhios agam, ged tha, gun dèanainn an turas ud a-rithist, a' gabhail na slighe an rathad eile, às an Òban gu Tiriodh. Bliadhnachan an dèidh sin, nuair a bha mi nam bhalach-sgoile ann an Ard-Sgoil an Òbain, agus nam oileanach ann an Oilthigh Ghlaschu, a' sgrùdadh nan Cànainean Ceilteach, bha iomadh cothrom agam a bhith a' seòladh dhachaigh air a' Chlaymore.

Agus tha an aisling ghaoil ud beò annam fhathast, eadhon ged nach eil an Claymore, a bha leamsa gun choimeas, ann tuilleadh. Chan eil nì as fheàrr leam na bhith nam sheasamh air a' cheidhe anns an Òban no ann an Sgairinis, nuair a bhios an Clansman mòr, bùcach a' lìonadh mo sheallaidh, no mo ghoistidh gràdhach, an Lord of the Isles, a' seòladh air ribein airgid air lathaichean samhraidh, no a' sgoltadh nan tonn ann an gaillinn an fhoghair. 'S e bàtaichean eireachdail a th' annta, den seòrsa fhèin, agus tha iad a' toirt orm a bhith uasal às mo dhùthchas ann an dòigh nach gabh mìneachadh no tuigsinn gu tur. Bidh mi a' togail dhealbhan dhiubh gun sgur, 's mi daonnan a' feuchainn ris 'an dealbh as fhèarr' fhaighinn – rud a bhios a' fairtleachdainn orm.

Air dhòigh-eigin, a dh'aindeoin an coltais stùicich agus a' mhì-chòrdaidh a tha nan cruth, tha na bàtaichean sin a' labhairt rium ann an doimhneachd mo bheatha. 'S iadsan na bàtaichean agamsa cuideachd. Tha cuibhreann dhìomsa air a thàthadh am broinn am pleataichean, a chionn 's gu bheil iad mar choilionadh air bruadar balaich, a bhiodh ag èirigh nam inntinn 's mi air mo lathadh nam sheasamh air ceidhe Sgairinis anns na bliadhnachan ciana ud, a' fuireach ris a' Chlaymore – bruadar gum faigheadh na h-Eileanan na bàtaichean a b' fheàrr a b' urrainn don dùthaich a thoirt dhaibh, seach na 'poitean-meirge', nuair a thigeadh piseach air na seirbhisean mara. Thachair sin, agus tha mi an dòchas nach tig atharrachadh air gu bràth.

Baile Mhàrtainn, an Tiriodh
Balemartin, Tiree

Caisteal Dhubhaird
Duart Castle

A863

B8009

Sconser

A87

Broadford

A851

Kyle of
Lochalsh

A8

Canna

Armadale

Rum

Eigg

Muck

Mallaig

A830

A861

Ardnamurchan
Point

Kilchoan

B8007

A861

Stronti

Arinagour

Tobermory

A884

Lochaline

Fishnish

Lismor

The Small Isles: Muck, Eigg, Rum and Canna by Hugh and Jane Cheape

A husband and wife team living in Skye and running a small business on the mainland. While raising a family, Jane worked as a freelance journalist and wrote a book on island food and diet. Hugh was, until recently, a Principal Curator in the National Museums of Scotland where he worked for 33 years, preparing exhibitions and writing articles and books. From the early 1990s, he was helping John Lorne Campbell and Margaret Fay Shaw with their research work in Canna and has spent many happy days every year on the Small Isles ferries.

Rum and Eigg from Acharacle
Rùm is Eige o Àth Tharracail

The Small Isles: A personal journey to Muck, Eigg, Rum and Canna

by Hugh and Jane Cheape

The 'Small Isles' – Rum, Eigg, Muck and Canna – seem to fulfil in every sense the concept of an entity, as a ring of islands in their own sea world. In the merging of land and seascape in a natural world, in their cultural and economic history, or in the modern and mundane detail of local government, the Small Isles belong together as an archipelago of the Inner Hebrides. The Small Isles are everyone's idea of Hebridean islands. Created partly by volcanic activity, perhaps the most dramatic moment in a vast span of geological events and time, leaving lava plateaux on Eigg and Canna, on either side of the volcano's remains on the older rocks of Rum. This complex geological make-up is memorable for its astonishing beauty. The *Sgurr* of Eigg, towering up to 1,339 ft, is a geological signpost on the island's profile as volcanic action sculpted by the action of glaciers and the 'organ-piping' basalt columns set on horizontal terraces in Canna are like architecture in their regularity in the wind-blown Hebridean landscape.

Traditionally called *Na h-Eileanan Beaga*, literally 'the small islands' – though they are perhaps not that small in island terms – can all be embraced in a day's travel, although we recommend that they be explored slowly! We can see them in a glance out to sea from Ardnamurchan or the Machair of Arisaig. These are the nearest mainland points where the traveller heading west will probably see the Small Isles for the first time. From such mainland vantage points nothing man made interrupts the sight-lines, giving the voyager a rare view of past and present in our islands, and seeing the same seascape and landforms in the same dramatically changing lights of sun and storm as seen by prehistoric settlers, early Christian missionaries or Viking pirates.

The Small Isles have produced some of the earliest evidence for the human settlement of Scotland. A Stone Age site above Loch Scresort in Rum, unknown until disturbed by agricultural work in 1983, has been shown to be around 9,000 years old. People have lived in Scotland for a very long time and archaeology shows that they have lived longest in these remote and wild Atlantic islands. The Small Isles are not remote when you don't need to jump into a car and not wild when they attracted such early settlement. The Small Isles must have met the needs of prehistoric lifestyles. Mesolithic peoples hunted, fished and gathered rather than grew crops, and stone provided durable tools with sharp edges. Bloodstone in Rum, a green quartz-like stone with red spots, was used with antler and bone to form tools and must have enhanced the attractions of these extraordinary islands.

According to the long-established ferry timetables, our journey round the Small Isles follows the sun – *deiseal air gach nì*, 'sunwise for everything', as the proverb puts it – and we leave Mallaig for Muck as our first Small Isles landfall. Muck is the smallest of the Small Isles, without the remoteness of Canna, the grandeur of Rum or the drama of Eigg. Muck, with its greater neighbours forming a backdrop, is an island shaped like an upturned saucer, two miles long by one mile wide, with a present population of approximately thirty, a working farm whose borders are the sea. Dean Donald Monro, an early visitor (1549), found it *'callit in Irish Ellan na muc, callit in Inglish the Swines Isle...'* – 'Island of Pigs' or 'Island of Whales'? In hungrier times 'Sea Pork' was a description given to whale-meat, there is ambiguity in the island's name. We have seen a vast black sow in Muck, happy in her own small wood, about to farrow and an object of excited local speculation.

The first settlers, hunter-gatherers in search of new quarters, glimpsing land from mainland caves, must have been attracted by Muck's gently sloping beaches, the seabirds and shellfish on which they knew they could survive. Perhaps the relative security offered by these islands had already created a sacred aura of holiness before the early churchmen of Iona established themselves in Muck, over which Iona then claimed ownership from the seventh century and left behind it two standing stones and a burial ground adjacent to the pier.

Later still the Vikings, sweeping down the west coast of Scotland, probably in need of water and hungry for land would have glimpsed a tantalising, low green sward, ripe for cultivation. *'... ane very fertile frutfull Ile of cornis and girsing (grass, hay) for all store.'* Dean Monro's description was accurate.

Generally, in the Hebrides, arable is a struggle. Hay-making is chancy, but Muck is an exception. In the eighteenth century, with its population at an all-time high of more than three hundred, Muck was exporting barley, oats and potatoes as well as cattle. Today she produces excellent, sweet lamb for a local market.

We arrived in Muck on a hot, hot day in July. The new pier had not yet been built. The sea was perfectly clear. It was low tide. The island flit boat, The Wave, came out to meet us. We clambered in and were drawn closer to the shore until the draught was taken up and there was nothing for it but to gather up our possessions, roll up our trousers, drop into the sea and wade, just as Neolithic man, Celtic monks and Viking adventurers had done before us. On land, crops bent in the light wind. A heavy load of hay passed on the road. In the guest house garden, dark-green kale grew thick. Dean Monro would have recognised it all in 1549. More recently, from the deck of the ferry, we watched first the posts and secondly a shooting party come reluctantly aboard from the island after a happy three days at the pheasant, partridge, duck and native woodcock.

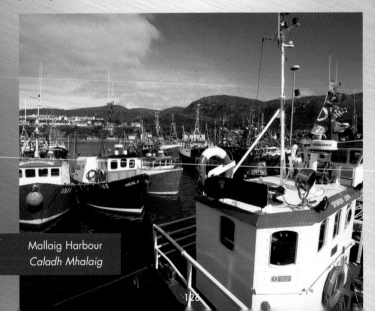

Mallaig Harbour
Caladh Mhalaig

Plenty of pheasants remain after the season. There are small birds enjoying themselves in the game crops and by the feeders, ducks chatting in the ponds and more Golden Eagles and Hen Harriers than ever. The hotel has extended its season. But as Martin Martin, that other great traveller in the Hebrides had already noted: *'The hawks in the rocks here are reputed to be very good ...'* making circles still in a vast, Hebridean sky.

If I had to choose among the Hebrides – and I find it desperately difficult to do so – I choose Eigg. So wrote the poet, Hugh MacDiarmid. From the sea, Eigg is dominated by its great Sgurr, the largest piece of exposed pitchstone in the British Isles, the dark and lustrous remains of a volcano flanked by softer lava columns. With its strategic position and dramatic visibility, Eigg has often caught the backwash of Scotland's history.

Poets, priests, plunderers and politicians have all left their mark. Here, in this stopping-off place between Iona and the mainland and in the knowledge that the island was ruled by a pagan authority, St. Columba's disciple, St. Donnan, established a colony, only to be martyred on 17 April 617 by a pirate band under orders from the mainland.

"Early grows the grass on the shieling of Donnan,
The stars so high over the grave of Donnan,
The warm eye of Christ on the grave of Donnan,
No harm, no harm to the tomb of Donnan."

Song: Aodann Corrabheinn
Collected by Kenneth MacLeod from Ciorstaidh MacKinnon, Eigg, about 1905.

For the early settlers who came to Eigg in simple boats, the *Sgurr* must have had a powerful attraction and in the centuries after, especially in dangerous times, it provided an important look-out point for any craft, whatever its mission. During the 1840s the geologist, Hugh Miller, voyaged here in The Betsy, the Free Church minister's floating manse, to study Eigg's rich supply of fossils.

Nowadays, as the ferry slips out of *Port Mòr* and heads for Eigg, the passenger, leaning over the rail, sees the great hills of Rum and Canna beyond, secretive and distant. Then the cliffs of Eigg approach and the green grass of Kildonan Farm appears to starboard. Today, the new pier comes into view, opened in 2004 and marking the end of flit-boats. In our mind's eye, we still see the welcoming thirsty throng of our first visit, waving the boat in from the old Clanranald pier and coming aboard for a dram.

On the opposite side of the island, in the marshy area below Laig, the Vikings found welcome shelter. Here they wintered their boats, utilising local timber from woodland, long disappeared, although attempts have now been made to replant. A boat stem was found here, carved in such a way as to demonstrate the highest arts of boat-building skills and a magnificent bronze sword-hilt, now in the National Museums, was discovered in a richly-furnished Viking warrior's grave near Kildonan.

The claims of Norway over the Western Isles were finally challenged in the 1130s by Somerled whose descendants went on to establish a 'kingdom' within the Kingdom of the Scots. It was at Kildonan in 1386 that Donald accepted the Lordship of the Isles, confirmed by Royal Charter from the King of Scots. And it was also in Eigg that Donald Dubh, last of the line, called a conference to resolve the internal feuding of the Islesmen. After the Jacobite wars, Eigg proved itself more of a trap than a sanctuary when Hanoverian officers meted out revenge to the supporters of Bonnie Prince Charlie.

Not for 800 years had an enemy arrived by sea. Within 30 years of this debacle, Ronald MacDonald of Laig was assembling his father's, Alexander MacDonald's work into the first printed collection of Gaelic poetry, which has come down to us as the 'Eigg Collection'.

North of the Bay of Laig, at Camus Sgiotaig, lie the 'Singing Sands'. They derive from the local Jurassic sandstone, but their secret lies in their high silica content, their rounded grains and their particular level of humidity. Under pressure such sand emits sound, as mysterious today as it ever was. Just as the tide ebbs and flows so the population has had its inexorable rhythms. After the '45, potatoes began to supersede oats and 'bere' (a form of barley). The burning of seaweed to make kelp provided some respite from poverty, but of the 500 souls living in Eigg in 1801, by 1900, only one half remained. The fourteen families living in Grulin under the *Sgurr* left their township in 1853. Proprietors too, like the sea, came and went. Eigg's population stands now around 50, anticipating in the near future mains power from 'renewables' and the regeneration of housing stock.

They could be on the brink of closing the circle, of finally matching population to resources, where small is undoubtedly beautiful.

Rum is surely the most impressive and conspicuous of the islands of the Inner Hebrides. The name, whose origins and meaning are uncertain, is expressed in Gaelic as *Rum* or *Eilean Ruma*, and it is said that the intrusive 'h', as in 'Rhum', was introduced in the time of its Victorian owners to distinguish the name from intoxicating liquor. This has been recognised as pretentious and its omission and restoration to 'Rum' officially recognised. The island is a trapezoidal shape and is just over eight miles across at its widest. It is largely rough and mountainous, giving it a particular prominence in its maritime environment; three of its largest hills rise over 2,500 ft and the highest, Askival, reaches 2,659 ft. Other high tops such as Barkeval, Hallival, Trollaval and Ruinsval have Norse names and tell us that these huge landmarks were natural navigational points to a seafaring people such as the Vikings.

Since 1957, Rum has been a National Nature Reserve when the Nature Conservancy Council (now Scottish Natural Heritage) took over the island with the vision to recreate a habitat from a time before the destruction of its primeval forest. Given the surviving tree cover in a few areas, woodland restoration included Scots pine, birch, alder, aspen and oak. The government and the founding fathers of nature conservation in Britain purchased the island from the Trustees of Sir George Bullough whose family had owned it since 1886 and managed it as a deer forest. It was in the middle of this tenure, 1900-1902, that the exotic mansion house of Kinloch Castle, at the head of Loch Scresort, was built from imported red Arran sandstone. This extraordinary structure is seen as the ferry comes in to land.

Early accounts of the Isle of Rum are to be found in Dean Monro's *Description of the Western Isles of Scotland* of 1549, in an anonymous *Description of the Isles of Scotland* of about 1595, and in *Ane Description of Certaine Pairts of the Highlands of Scotland* of about 1630.

All three accounts provide us with a relatively detailed picture or impression of the island and its people and agree on significant points. They give us a picture of the late medieval situation of Rum. They agree that the island is large and very mountainous.

The human population of the island was small, centred on two 'townships' or 'runrig' communities, one at Kilmory on the north-west and one at 'Glen Hairie' (Harris Glen) on the south-east side. In 1595, Rum was said to be capable of raising only six or seven men for the wars.

By contrast, Canna could raise thirty men and Muck could raise sixteen men. Given the comparative sizes of the Small Isles, we see that Muck could raise more than twice Rum's capability.

Rum contained a large number of small deer according to Dean Monro in 1549. They were caught and killed by being driven, perhaps by deer-hounds, into 'tynchellis' or deer traps, formed with stone dykes. This was in the days before firearms came into use in the Highlands and Islands. Certain fat birds the size of doves could be taken in the mountains in the spring, 'about Beltaine' or early in May, and this must be an allusion to the Manx shearwaters.

The shearwater, in Gaelic fachach ('fat little one') spends all its life at sea and comes ashore only to breed. Its colonies in Rum, the largest in the world, are in excavated burrows on the highest mountain terraces. With many thousand pairs nesting annually, they are the most significant and numerous breeding species in Rum, beside other seabirds such as guillemots, fulmars and kittiwakes. The white-tailed sea eagle which used to nest in Rum was hunted to extinction by 1912. The species was reintroduced here from 1975 and is one of the success stories of conservation.

Rum is associated with an incident of the early eighteenth century, which recalls the Established Church's attempts to complete the work of Reformation in the Highlands and Islands. Their attention was particularly directed at those areas in which Roman Catholic priests and Irish missionaries had been active in the course of the preceding century and in which support for the exiled Stewart Dynasty was strongest. The laird, Hector MacLean of Coll, was said to have insisted in 1726 that the whole population of Rum attend the presbyterian church services. It was said that any recalcitrants he beat into church with a walking stick which was described as a heavy yellow stick and henceforward Protestantism was described as the 'religion of the yellow stick' or creideamh a' bhata bhuidhe.

By the late eighteenth century and the time of the Old Statistical Account (1794), the deer had all gone. The population had by this time reached almost 450, although there must have been considerable congestion on the few small areas of arable land. With the increase of population in the eighteenth century, other villages were established in Rum, at Guirdil on the west below Bloodstone Hill and at Kinloch round the head of Loch Scresort.

In 1827 the whole population was assisted by MacLean of Coll in an emigration scheme to Canada in which they had no choice; it was said that the islanders were reluctant 'to leave the land of their ancestors'. Let as a single sheep farm, the remaining population was gradually eliminated. In the 1840s, when Rum had been bought by the Marquis of Salisbury, the island was restocked with red deer brought from the mainland and the pattern was formed of Rum as an exclusive sporting estate, awkwardly recalling the old traditional Gaelic name or 'kenning' for the island as 'the Kingdom of the Wild Forest', *Rioghachd na Forraiste Fiadhaich*.

The jewel-like Hebridean island of Canna lies to the north and west of its nearest neighbour, Rum. Canna is really another circle of 'small isles', with one or two outliers such as Humla and the lighthouse station of Heiskeir, but also with the large island of Sanday which greets and shelters you from the prevailing winds as you sail into Canna. Sanday (Old Norse meaning 'sandy island') is separated from Canna by a narrow channel, almost dry at low tide, encircling a large storm-haven which has always made Canna an attractive and safe destination for the traveller at sea. The conjunction of Canna and Sanday creates a beautiful harbour furnished with farmland, dwelling-houses, churches and farm buildings. Enclosed on the slopes are plantations of pine, larch and older hardwoods – sycamore, wych elm, cherry, hawthorn, ash and elder. Salt and wind-tolerant shrubbery adds a touch of colour and gentleness to the wind blown landscape.

From 1938, Canna was the hospitable home of the Gaelic scholars, Dr John Lorne Campbell and his wife, Margaret Fay Shaw. In 1981 they presented the islands, their farm and crofts, together with their own libraries, scholarly collections of papers and sound archives to the National Trust for Scotland who now manage them in the interests of their Hebridean community and with the Campbells' vision of preserving the natural and cultural assets of the islands *in situ*. The material, traditional and scholarly assets of Canna and Sanday represent a concentration in one place of wealth for Gaelic civilisation unequalled in the British Isles. Dr Campbell was a pioneer in the recording of Gaelic songs and stories and beginning in Barra about 1934, he amassed a collection of some 1,500 Gaelic folksongs and 350 folk tales. The library, archive and sound recordings represent great opportunities for research and scholarship. Stay in Canna and Sanday if you can and share the impressions we have gained from slowly exploring them through the years. They are fertile islands and present a rich prehistoric landscape for the Bronze and Iron Ages. The rocks of the district have their origins from Pre-Cambrian times to the present day and are complemented with a temperate, maritime flora and fauna of great beauty.

Canna lies totally within the Tertiary volcanic period and has fine plateau landforms of columnar basalt eroded by ice, sea and weather, with raised beaches. Together with medieval settlements, more recent fortifications such as Coroghon and religious sites such as the 'Nunnery', and later structures such as kelp kilns, these islands represent one of the most complete historic landscapes in North-West Scotland, providing a basis for local and regional dating systems for archaeology and history. The early Christian stonework and the monastic site at Keill, dedicated to St. Columba, point to an early Christian mission and a possible residence in Canna of Columba himself in the sixth century.

The strength of local tradition connecting Canna with St. Columba was recorded early in the seventeenth century. Canna and Sanday preserve the marks of continuous settlement from Viking and earlier times, through the Lordship of the Isles and the Clanranald era until the clearances of the nineteenth century. The development of agriculture and fisheries and of the social culture of crofting since the early nineteenth century is a further phase which is still clearly seen. The islands represent a microcosm of Highland and Hebridean culture and society awaiting the traveller.

Invisible to the glance but entrenched in tradition is the residence of Alexander MacDonald, the most famous of Gaelic poets of all times. About 1750, in a sheltered spot close to the sea and in view of Rum, *Alasdair*

MacMhaighstir Alasdair was said to have composed his heroic verse epic, 'The Birlinn of Clanranald', setting the turmoil of life within the framework of his Clan chieftain's galley sailing from South Uist, past the Small Isles and on south to Carrickfergus on the coast of Antrim.

Closing the circle takes the traveller back past the south-west coast of Skye, the Point of Sleat and into Mallaig. You are in a world apart, in a panorama ever-changing in the light of the day and season, reflecting the effects of weather upon land, sea and sky.

So many words have been written about the islands of the Hebrides, particularly in the last hundred years and with greater or lesser levels of detail; there seems to be no corner unexplored and no stones unturned. But the sense of discovery and the secrets are still there for the voyager of today and a last word surely belongs to the Gael.

A song taken down in Uist in 1893 shows us how special the Small Isles were to the people of the Hebrides:

*"If I were dividing the land,
You would have your share instantly.
You should have Rum and Eigg,
Canna and the Isle of Muck..."*

Rum and Eigg
Rùm is Eige

Na h-Eileanan Tarsainn: Cuairt phearsanta gu Eilean nam Muc, Eige, Rùm agus Canaidh

le Ùisdean agus Sìne Cheape

Mar chearcall eileanan san rìoghachd mhara aca fhèin, tha na h-Eileanan Tarsainn – Ruma, Eige, Eilean nam Muc agus Canaigh – a' coileanadh brìgh iomlan nam facal, 'mar bhuidheann slàn'. Às bith, an ann mar tìr is muir a tha fillte ann an saoghal nàdair, no ri linn na h-eachdraidh cultaraich agus eaconomaich aca, no an lùib ghnothaichean làitheil ùghdarrasan ionadail ar linn-ne, tha na h-Eileanan Tarsainn nan sreath eileanan a tha dlùth cheangailte sna h-Eileanan a-staigh. Tha na h-Eileanan Tarsainn nan samhla do dhaoine air dè da-rìribh a tha Innse Gall a' ciallachadh. Gu ìre mar thoradh air spreadhadh bholcànach – 's math dh'fhaodte nì cho iongantach 's a thachair ann an linntean fada sgeulachd nan creag – agus a dh'fhàg Eige agus Canaigh, dà chlàr làbha, air gach taobh de dh'fhuidhleach a' bholcàno a tha air muin seann chreagan Ruma. Mairidh an cothlamadh de dh'ioma-fhillteachd chreagan seo fada air chuimhne air sgàth a bhòidhcheid iongantaich. Tha *Sgùrr* Eige, ag èirigh gu 1,339 troimhean a dh'àirde, na chomharra clach-eòlasach ann an ìomhaigh an eilein, mar a tha gluasad bholcànach snaidhte le eighshruthan, agus na cuilbh bhàsalta ann an cumadh phìoban òrgain nan laighe air na barraidean còmhnard ann an Canaigh, mar ailtearachd òrdaichte ann an tìr gharbh Innse Gall.

Dh'fhaodadh duine siubhal feadh nan 'Eilean Beaga' no *Small Isles*, mar as fheàrr a dh'aithnichear iad ann am Beurla ('s e na h-Eileanan Tarsainn an t-ainm traidiseanta th' orra sa Ghàidhlig) – ged nach eil iad cho beag sin 's dòcha an coimeas ri cuid a dh'eileanan – ann an latha, ged a mholamaid gun cuir daoine eòlas orra air an socair! Chì sinn gu furasta iad air clàr na mara bho Àird nam Murchan no bho Mhachair Àrasaig. 'S iad sin na h-àiteachan as fhaisge air tìr-mòr far am faic duine, a tha a' siubhal dhan iar, na h-Eileanan Tarsainn airson a' chiad uair. Bho na h-àiteachan coimhid sin air tìr-mòr chan eil dad làmh-dhèante a' cur bacadh air lèirsinn, agus tha seo a' toirt cothrom aineamh dhan neach-siubhail sealladh làthaireach agus eachdraidheil fhaighinn air na h-eileanan, agus na h-aon chruthan-mara agus tìre fhaicinn ann an solas caochlaideach na grèine agus na stoirme agus a chunnaic luchd-tuineachaidh ro-eachdraidheil, na ciad mhiseanaraidhean Crìosdail no spùinneadairean na Lochlainn.

'S ann sna h-Eileanan Tarsainn a lorgadh cuid de na comharran a bu thràithe a tha a' sealltainn nuair a thuinich daoine ann an Alba. Chaidh a dhearbhadh gu bheil làrach bho Linn na Cloiche os cionn Loch Sgrèasort ann an Ruma, air nach robh fios gus an do lorgadh i ann an 1983 tro obair-àiteachais, a' dol air ais mu 9,000 bliadhna. Tha daoine air a bhith fuireach ann an Alba airson ùine mhòr agus tha arc-eòlas a' sealltainn gur ann sna eileanan iomallach, fiadhaich seo sa Chuan Siar as fhaide a tha iad air a bhith fuireach. Chan eil na h-Eileanan Tarsainn iomallach nuair nach eil càr a dhìth ort, no cho fiadhaich sin nuair a thàlaidh iad luchd-tuineachaidh thuca cho tràth. Feumaidh gu robh na h-Eileanan Tarsainn freagarrach dhan dòigh-beatha ro-eachdraidheil. Bhiodh daoine bho Linn Eadar-mheadhanach na Cloiche a' sealg, ag iasgach agus a' cruinneachadh an àite a bhith a' fàs bàrra, agus bhiodh iad a' dèanamh innealan mairsinneach le faobhar geur à cloich. Chleachdadh Clach-fala, clach uaine le spotan dearga coltach ri cloich-èiteig, cho math ri adhaircean fèidh agus cnàmhan gus innealan a dhèanamh, agus feumaidh gu robh na stuthan seo a' dèanamh nan eilean iongantach seo air leth tarraingeach.

A rèir clàr-ama nam bàtaichean-aiseig a tha air a bhith stèidhichte o chionn fhada, tha ar turas tro na h-Eileanan Tarsainn a' leantainn na grèine – deiseil air gach nì, mar a tha an seanfhacal ag ràdh – agus tha sinn a' fàgail Mhalaig a' dèanamh air Eilean nam Muc, a' chiad fhear de na h-Eileanan Tarsainn air am bi sinn a' tadhal. 'S e Eilean nam Muc am fear as lugha de na h-Eileanan Tarsainn, agus e às aonais iomallachd Chanaigh, greadhnachas Ruma agus dràma eilean Eige. Tha Eilean nam Muc, le a nàbaidhean mòra air a chùl, mar shàsar mòr air a' bheul-fodha. Tha e dà mhìle a dh'fhaid agus mìle a leud, le mu dheich duine thar fhichead a' fuireach ann, agus tha tuathanas an eilein sìos gu oir na mara. A rèir an Deadhain Dòmhnall Rothach, a thadhail air an eilean ann an 1549, bha e *'callit in Irish Ellan na muc, callit in Inglish the Swines Isle ...'* – 'Island of Pigs' or 'Island of Whales'? Ann an linn nuair a bha biadh na bu teirce, chanadh iad 'Muicfheòil na Mara' ri feòil mhucan-mara – tha

135

beagan teagamh ann an ainm an eilein. Chunnaic sinn muc ana-mhòr dhubh ann an Eilean nam Muc, toilichte sa choille bhig aice fhèin, an impis uirceanan beaga a bhreith agus na chùis-iongnaidh do mhuinntir an àite.

Feumaidh gu robh tràighean Eilean nam Muc agus iad ag aomadh gu socair chun na mara, na h-eòin mhara, agus am maorach a bha fios aca a bheireadh bith-beò dhaibh air leth tarraingeach dhan chiad daoine a thuinich air an eilean, a bha a' coimhead a-mach bho na h-uaimhean aca air tìr-mòr, daoine a bhiodh a' sealg agus a' tional agus a bha 'g iarraidh dachaigh ùr. 'S dòcha gu robh soillse choisrigte na spioradaileachd mu thràth a' cuairteachadh nan eilean seo ri linn na tèaraínteachd a bha nan còir mus do shuidhich clèirich bho Eilean Idhe iad fhèin tràth ann an Eilean nan Muc, eilean air an do ghabh Eilean Idhe sealbh bhon t-seachdamh linn, agus mar thoradh air an oighreachd sin chìthear dà thursa agus cladh ri taobh a' chidhe.

Às dèidh sin thàinig na Lochlannaich, mar bhras-shruth sìos cost an iar na h-Alba, agus a h-uile teans gu robh uisge agus talamh a dhìth orra, agus bhiodh iad air sealladh de rèidhlean ìseal gorm fhaicinn a bha cho tarraingeach agus deiseil airson àiteach. '...ane very fertile frutfull Ile of cornis and girsing (grass, hay) for all store.' Bha an Deadhan Rothach ceart leis na thuirt e. Mar as trice, chan eil e furasta bàrr àiteach ann an Innse Gall. 'S ann gu math cugallach a tha obair an fheòir, ach tha Eilean nam Muc eadar-dhealaichte. San ochdamh linn deug, agus sluagh an eilein cho àrd sa bha e riamh le trì ceud duine ann, bha muinntir an eilein trang ri às-mhalairt a' cur air falbh eòrna, coirce, buntàta agus crodh. An-diugh, thathar ag àrach uain san eilean a tha barraichte agus blasta airson a' mhargaidh ionadail.

Ràinig sinn Eilean nam Muc air latha uairidh teth san luchar. Cha robh an cidhe ùr air a thogail fhathast. Bha a' mhuir gorm agus soilleir. Bha muir-tràigh ann. Thàinig bàta-giùlain an eilein, *The Wave*, a-mach gar coinneachadh. Chaidh sinn air bòrd agus theann sinn ris an eilean gus an robh am bàta anns an tanalaich, agus cha robh roghainn againn ach ar cuid a thogail, casan ar briogais a thrusadh, agus grunnachadh san uisge, dìreach mar a rinn daoine bho Linn Nuadh na Cloiche, na manaich Cheilteach agus na Lochlannaich threuna romhainne. Air tìr, bha am bàrr a' lùbadh sa ghaoith shocair. Chaidh luchd mòr feòir seachad oirnn air an rathad. Ann an gàradh an Taigh-aoigheachd, bha càl dorcha uaine a' dlùth-fhàs.

Dh'aithnicheadh Deadhan Rothach a h-uile rud sin ann an 1549. Air ais nar linn fhèin, chunnaic sinn, bho dheic a' bhàta-aiseig, iad a' caitheamh nam pocanan puist air bòrd an toiseach, agus an uair sin buidheann a bha air a bhith sealg le gunnaichean a' tighinn air bòrd gu h-ain-deònach às dèidh dhaibh trì latha sona a chur seachad a' sealg easagan, chearcan-thomain, thunnagan agus chearcan-coille.

Tha easagan gu leòr air fhàgail às dèidh an t-seusain. Tha eòin bheaga ri mire am measg a' bhàrr a chaidh a chur leis na geamairean agus ri taobh na h-acfhainn biathaidh, tha tunnagan a' gàgail sna lòin agus tha barrachd iolairean agus chlamhanan nan cearc na bh' ann riamh. Tha an taigh-òsta ga chumail fosgailte nas fhaide am-bliadhna. Ach mar a thuirt Màrtainn Màrtainn, an duine iomraiteach a shiubhail tro Innse Gall: *The hawks in the rocks here are reputed to be very good ...*' agus iad a' tarraing cearcall socair os ar cionn ann an iarmailt neo-chrìochnach nan eilean.

'*If I had to choose among the Hebrides – and I find it desperately difficult to do so – I choose Eigg.*' 'S e sin a sgrìobh am bàrd, Ùisdean MacDiarmaid. Bhon mhuir, 's e a' chiad rud a chithear air Eige an Sgùrr mòr, am pìos as motha dhen chreig bholcànach pitchstone 's a tha am follais ann am Breatainn, fuidhleach dorcha, lìomhte bholcàno le cuilbh làbha nas buige air gach taobh. Air sgàth 's cho cudromach sa tha suidheachadh an eilein agus cho lèirsinneach 's a tha e don t-sùil, b' ann tric a bha Eige air a bhogadh ann an sruth fada eachdraidh na h-Alba. Bàird, sagartan, spùinneadairean agus luchd-poilitigs, thug iad uile buaidh air an eilean.

B' ann an seo, air an eilean ghoireasach eadar Eilean Idhe agus tìr-mòr, a stèidhich an Naomh Donnan, an deisciobal aig Naomh Calum Chille, eilthir agus fios aige gu robh an t-eilean fo ùghdarras pàganach; ach mharbhadh e mar mhartarach air 17mh dhen Ghiblean 617 le buidheann spùinneadairean a fhuair òrdan bho thìr-mòr.

"*Sa chinneas am feur air àirigh Donnain,*
Reulta àrd air tunga Donnain,
Blàth-shùil Chrìosd air tunga Donnain,
Cha bheud, cha bheud do thunga Donnain."

Òran: 'Aodann Corrabheinn'
Air a chruinneachadh le Coinneach MacLeòid bho Chiorstaidh NicFhionghain, Eige, mu 1905

Feumaidh gur e tàladh mòr a bh' anns an Sgùrr don luchd-tuineachaidh a thàinig an toiseach a dh'Eige ann am bàtaichean sìmplidh agus don fheadhainn a thàinig sna linntean às an dèidh, b' ann air leth cudromach a bha e mar àite-faire aig amannan èiginneach far am faicte soitheach sam bith, às bith dè bhiodh nan rùn. Thàinig Ùisdean Miller, an clach-eòlaiche agus ministear san Eaglais Shaoir, a dh'Eige air bhòidse sna 1840an sa Bhetsy, am mansa-mara aige, a dhèanamh sgrùdadh air a' bheairteas fhosailean a bha san eilean. San latha an-diugh, nuair a tha am bàta-aiseig a' seòladh a-mach às a' Phort Mhòr a' dèanamh air Eige, tha an neach-siubhail, a' leigeil a thaic air an rèile, a' faicinn beanntan mòra Ruma agus Chanaigh, dìomhair is cian air fàire. An ath rud tha creagan Eige a' teannadh ort agus tha feur gorm Tuathanas Chill Donnain a' nochdadh air an deas-bhòrd. An-diugh, tha an cidhe ùr a' tighinn am fianais, a chaidh fhosgladh ann an 2004 agus sin a' ciallachadh crìoch nam bàtaichean-giùlain. Nar n-inntinn fhèin, tha sinn fhathast a' faicinn an t-sluaigh thartmhor a chuir fàilte oirnn a' chiad turas a thadhail sinn, agus iad a' smèideadh rinn nar bàta bho sheann chidhe Chlann Raghnaill agus nar cuimhne tha iad fhathast a' tighinn air bòrd airson drama.

Air taobh eile an eilein, ann an àite bog fo sgìre ris an canar Lathaig, lorg na Lochlannaich fasgadh a bha feumail. Dh'fhàg iad na bàtaichean aca an seo sa gheamhradh, agus chleachdadh iad fiodh bhon choille, a chaidh a leagail o chionn fhada; ach rinneadh oidhirp a-rithist craobhan a chur. Fhuaras claigeann-toisich bàta an seo, a bha air a dheagh-shnaigheadh agus a bha a' nochdadh sàr sgilean togail bhàtaichean, agus fhuaras ceann claidheimh eireachdail de dh'umha, a tha a-nis sna Taighean-tasgaidh Nàiseanta, ann an uaigh ghaisgich Lochlannaich, anns an robh tasgadh prìseil, faisg air Cill Donnain.

Rinneadh strì, mu dheireadh thall, an aghaidh mar a bha Rìghrean Nirribhidh a' cumail a-mach gu robh sealbh aca air na h-Eileanan Siar sna 1130an le Somerled, agus stèidhich a shliochd 'rìoghachd' taobh a-staigh Rìoghachd na h-Alba. B' ann aig Cill Donnain ann an 1386 a ghabh Dòmhnall Rìoghachd nan Eilean os làimh, a chaidh a sheulachadh le Càirt Rìoghail le Rìgh na h-Alba. Agus b' ann cuideachd ann an Eilean Eige a ghairm Dòmhnall Dubh, am fear mu dheireadh dhen t-sliochd sin, cruinneachadh gus fuasgladh fhaighinn air strì a bha a' dol eadar na h-Eileanaich.

Coruisk
GLASGOW

Caledonian MacBrayne

www.calmac.co.uk

Caledonian MacBrayne

KERRY ANNE

Malaig
Mallaig

Às dèidh nan cogaidhean Seumasach, cha b' e tèarmann ach ribe a bh' ann an Eige nuair a thug oifigearan Deòrsach dìoghaltas air luchd-leanmhainn a' Phrionnsa Teàrlach. Cha robh nàmhaid air tighinn gu tìr ann an Eige fad 800 bliadhna ron seo. Deich thar fhichead bliadhna às dèidh a' challa seo, bha Raghnaill MacDhòmhnaill, Fear Lathaig, a' tional saothair athar, Alasdair MacMhaighstir Alasdair, agus ga cur ri chèile mar a' chiad chruinneachadh de bhàrdachd Ghàidhlig ann an clò, a th' againn an-diugh mar an 'Eigg Collection'.

Tuath air Bàgh Lathaig, aig Camas Sgiotaig, tha 'a' Ghainmheach Cheòlmhor' no 'the Singing Sands'. 'S ann bho chloich-ghainmhich ionadail bhon Linn Jurassic a thàinig i, ach 's e as coireach gu bheil ceòl innte an uiread de shilice a th' anns a' ghainmhich, na gràinneanan cruinn agus an ìre shònraichte de bhruthainneachd. Fo chuideam tha gainmheach mar seo a' dèanamh fuaim, a tha cho dìomhair sa bha e riamh. Dìreach mar a' mhuir-làn is a' mhuir-tràigh, tha sluagh an eilein air èirigh is traoghadh. Às dèidh Bliadhna Theàrlaich, thàinig buntàta an àite coirce is eòrna. Fhuaras beagan faochaidh bhon bhochdainn le bhith losgadh feamainn gus ceilp a dhèanamh, ach a-mach à 500 duine a bha a' fuireach ann an Eige ann an 1801, cha robh ann ach leth dhiubh sin air fhàgail ann an 1900. Dh'fhàg na ceithir teaghlaichean deug a bha a' fuireach ann Grùlainn, baile fon Sgùrr, ann an 1853. Dh'fhalbh agus thàinig sealbhadairean mar làn na mara cuideachd. Tha mu 50 duine a-nis a' fuireach ann an Eige, agus iad a' sùileachadh ann an ùine nach bi fada dealain ceart bho chumhachd ath-nuadhachail agus leasachaidhean an lùib taigheadais air an eilean. Dh'fhaodadh gu bheil iad an impis an cearcall fhaicinn slàn, le àireamh an t-sluaigh a' freagairt air an stòras, agus gu cinnteach thig bòidhchead à nithean beaga.

Tha fhios gur e Ruma an t-eilean as drùidhtiche agus a tharraingeas barrachd aire na gin de na h-eileanan a-staigh. Chan eil ciall an ainm, Ruma no Eilean Ruma, cinnteach, agus thathar ag ràdh gur iad na daoine leis an robh an t-eilean ann an linn Bhictoria a chleachd an 'h' a chite san ainm ann am Beurla mar 'Rhum' uaireannan, air chor 's gum biodh eadar-dhealachadh ann bhon deoch-làidir leis an aon ainm. Dh'aithnich daoine gu robh seo caran faoin, agus chaidh aontachadh gu h-oifigeil gum bu chòir cur às dhan litreachadh seo agus a dhol air ais gu 'Rum'.

Tha cumadh an eilein bhon adhar mar thrapìseach agus far as leithne e, tha e beagan a bharrachd air ochd mìle tarsainn. Tha a' mhòr-chuid dhe corrach le beanntan àrda, agus sin ga fhàgail cho follaiseach air uachdar na mara; tha trì de na beanntan as motha còrr is 2,500 troigh a dh'àirde agus tha an tè as àirde, Asgabhal, 2,659 troighean a dh'àirde. Tha ainmean Lochlannach air binneanan àrda eile mar Barcabhal, Allabhal, Trollabhal agus Ruinseabhal ag innse dhuinn gu robh na cumaidhean tìre ana-mòr seo mar chomharran treòrachaidh don a leithid a dhaoine a bha a' siubhal na mara.

Bho 1957, tha Ruma air a bhith na Theàrmann Nàdair Nàiseanta nuair a ghabh Comhairle Glèidhteachais Nàdair (leis an ainm Dualchas Nàdair na h-Alba a-nis) sealbh air an eilean agus e na amas dhaibh àrainneachd an eilein a chàradh gus an robh i mar a bha i mus deach coille àrsaidh an eilein a sgrios. Bha còmhdach beag chraobh fhathast ri fhaicinn an siud 's an seo, agus le bhith ag ath-nuadhachadh na coille chuireadh giuthas Albannach, beithe, feàrna, critheann agus darach. Cheannaich an riaghaltas agus tùsairean glèidhteachas nàdair ann am Breatainn an t-eilean bho Urrasan an Ridire Seòras Bullough; b' ann le a theaghlach a bha e bho 1886 agus bha iad ga chumail mar frìth. B' ann aig teis-meadhan na linn acasan, eadar 1900-1902, a chaidh an t-aitreabh mòr iongantach Caisteal Ceann Loch a thogail, aig ceann Loch Sgrèasort, le clach-ghainmhich ruadh bho Àrainn. Chithear an togalach anabarrach seo bhon a' bhàta-aiseig agus i a' tighinn a-steach chun an eilein.

Gheibhear aithrisean tràtha mu Ruma san leabhar 'Description of the Western Isles of Scotland' bho 1549 leis an Deadhan Rothach, agus san leabhar gun urra bho 1595 'Description of the Isles of Scotland', agus ann an 'Ane Description of Certaine Pairts of the Highlands of Scotland' a nochd mu 1630. Tha na trì cunntasan seo a' toirt dealbh cuimseach mionaideach agus beachd air an eilean agus na daoine, agus tha iad ag aontachadh mu ghrunn phuingean cudromach. Tha iad a' sealltainn dealbh dhuinn dhen t-suidheachadh ann an Ruma anmoch sna Meadhan Aoisean. Tha iad ag aontachadh gu bheil an t-eilean mòr agus gu bheil tòrr bheanntan ann. Bha sluagh an eilein beag, a' mhòr-chuid dhiubh a' fuireach ann an dà bhaile le feannagan ann, aon choimhearsnachd aig Cille Mhoire agus tèile aig Gleann na Hearadh san ear-dheas.

Ann an 1595, bhathar ag ràdh nach robh ann ach sianar no seachdnar fhireannach ann an Ruma a bhiodh comasach air a dhol a chogadh. An coimeas ri seo, bha deich thar fhichead ann an Canaigh agus sia deug ann an Eilean nam Muc. A' coimhead air meudachd eadar-dhealaichte nan Eilean Tarsainn, tha sinn a' faicinn gu robh Eilean nam Muc comasach air barrachd 's a dhà uiread de dhaoine a chur a chogadh ged a bha Ruma pìos mòr nas motha.

Bha àireamh mhòr de dh'fhèidh ann an Ruma a rèir an Deadhain Rothaich ann an 1549. Dheigheadh an glacadh agus am marbhadh le bhith gan ruagadh, 's dòcha le coin-sheilge, a-steach gu 'tynchellis' no eileirig, dèante le gàrraidhean cloiche. Bha seo mus robh gunnaichean gan cleachdadh air a' Ghàidhealtachd agus sna h-Eileanan. Bhiodh iad a' marbhadh eun reamhar sònraichte cho mòr ri calman sna beanntan as t-Earrach, 'mun Bhealltainn' (tràth sa Chèitean): feumaidh gu bheil e a' bruidhinn mu fhachach an seo. Tha am fachach, a' ciallachadh 'am fear beag reamhar', a' cur seachad a bheatha aig muir, ach thig e gu tìr airson tàrmachadh. Tha na colonaidhean aca ann an Ruma, an fheadhainn as motha air an

Canaigh
Canna

t-saoghal, ann an tuill a tha ann an talamh còmhnard shuas gu h-àrd air na beanntan. Le mìltean dhiubh a' neadachadh a h-uile bliadhna, 's e am fachach an t-eun as pailte agus as cudromaiche a tha a' tàrmachadh ann an Ruma. Am measg nan eun-mara eile ann an Ruma tha an langaid, am mulcaire agus an ruideag. Chaidh Iolaire Sùil na Grèine, a chleachd a bhith a' neadachadh ann an Ruma, à bith san eilean ann an 1912 air sgàth sealg. Chaidh an gnè eòin seo a thoirt air ais dhan eilean ann an 1975, agus shoirbhich gu mòr leotha le bhith gleidheadh an eòin seo.

B' ann an Ruma a thachair rud san ochdamh linn deug, a tha a' cur nar cuimhne mar a rinn an Eaglais Stèidhichte oidhirp obair an Ath-leasachaidh a thoirt gu buil air a' Ghàidhealtachd agus sna h-Eileanan. Bha iad gu sònraichte ag amas air sgìrean far an robh sagartan Caitligeach agus miseanaraidhean air a bhith ri obair an t-soisgeil sa cheud ron sin agus far an robh na bu mhotha de thaic do na Rìghrean Stiùbhartach a bha air am fògradh. A rèir choltais, dh'iarr an t-uachdaran, Eachann MacIllEathain à Colla, ann an 1726 air sluagh Ruma air fad a dhol do na seirbheisean saor-chlèireach san eilean.

Bhathar ag ràdh gum biodh e a' bualadh duine sam bith nach gèilleadh le bata, ris an cante am bata buidhe, agus e gan iomairt a-steach dhan eaglais; mar thoradh air seo chanadh daoine san sgìre bhon sin a-mach 'creideamh a' bhata bhuidhe' ri creideamh nam Pròstanach. Aig deireadh na h-ochdamh linn deug, nuair a nochd an Seann Chunntais Staitisteal (1794), cha robh gin a dh'fhèidh air fhàgail. Bha àireamh an t-sluaigh faisg air 450, ach feumaidh gu robh an sluagh sin gu math dùmhail air a' bheagan talamh àitich a bh' ann. Ri linn àrdachadh an t-sluaigh san ochdamh linn deug, chaidh bailtean eile a stèidheachadh ann an Ruma, aig Giùradal san iar fo Chreag nan Steàrnan agus aig Ceann Loch aig ceann Loch Sgrèasort. Chuidich MacIllEathain Cholla muinntir an eilein air fad le sgeama eilthireachd a Chanada ann an 1827 far nach robh roghainn aca; bhathar ag ràdh gu robh na h-eileanaich ain-deònach 'tìr an sinnsirean fhàgail'.

Air mhàl mar aon thuathanas chaorach mòr, mean air mhean chaidh na daoine a bha air fhàgail fhògradh bhon eilean. Sna 1840an, nuair a cheannaich Marcas Salisbury Ruma, thugadh fèidh ruadh dhan eilean bho thìr-mòr agus stèidhicheadh an cleachdadh far an robh Ruma na Oighreachd Seilge, mar chuimhne leibideach air an t-seann ainm Ghàidhlig airson an eilein, Rìoghachd na Foraiste Fiadhaich.

Tha Canaigh, mar sheud am measg eileanan Innse Gall, iar-thuath bho a nàbaidh as fhaisge, Ruma. 'S e th' ann an Canaigh cearcall eile de dh'eileanan beaga, le fear no dhà air an iomall mar Humla agus an taigh-solais air Òigh-sgeir, ach cuideachd tha an t-eilean mòr Sanndaigh ann a tha a' cur fàilte oirbh agus gur dìon bhon ghnàth-ghaoith fhad 's a tha sibh a' seòladh a-steach gu Canaigh. Tha caolas cumhang eadar Sandey (seann Lochlanais a' ciallachadh 'eilean gainmheach') agus Canaigh, a tha cha mhòr air a thraoghadh nuair a tha muir-tràigh ann, agus tha a' bhuaile mhara seo eadar an dà eilean mar theàrmann bho gach stoirm is gailleann, a tha a' fàgail Canaigh mar cheann-uidhe air leth tarraingeach agus sàbhailte do luchd-siubhail na mara. Mar thoradh air a' cho-nasgadh seo eadar Canaigh agus Sanndaigh tha caladh brèagha ann air a chuairteachadh le talamh-àitich, taighean, eaglaisean agus toglaichean tuathanais. Air an cur air na leathadan tha giuthas, learag agus craobhan 'cruaidh-fhiodh' a tha nas sine – craobh-shice, leamhan, craobh-shiris, sgitheach, uinnseann agus droman. Tha planntrais a sheasas ris na siantan a' cur beagan dath ri agus a' sgeadachadh cruth-tìre a tha air a sguabadh leis a' ghaoith agus sàl na mara.

Bho 1938, bha Canaigh na dhachaigh aoigheil don dithis sgoilearan Gàidhlig, An t-Ollamh Iain Latharna Caimbeul (Fear Chanaigh), agus a bhean, Mairead Fay Sheathach. Ann an 1981, thug iad seachad na h-eileanan, an tuathanas agus na croitean, cuide ris na leabharlannan aca fhèin, pàipearan agus làmh-sgrìobhainnean sgoilearach, agus tasglann de chlàraidhean do dh' Urras Nàiseanta na h-Alba a tha a-nis gan cumail agus gan stiùireadh, às leth na coimhearsnachd agus a' leantainn na feallsanachd a bh' aig na Caimbeulaich, gum bu chòir beairteas nàdair agus dualchais nan eilean a bhith air an gleidheadh san sgìre dham buin iad. 'S e a th' ann an stòras eachdraidheil, dualchasach agus sgoilearach Chanaigh is Shanndaigh co-chruinneachadh de shaibhreas nan Gàidheal a tha gun chosamhail ann an Eileanan Bhreatainn. B' e obair thùsail a bha an t-Ollamh Caimbeul ris nuair a thòisich e a' clàradh òrain agus sgeulachdan Gàidhlig, agus e a' tòiseachadh ann am Barraigh ann an 1934, chruinnich e mu 1,500 mith-òran Gàidhlig agus 350 mith-sgeul.

Tha cothroman sgoilearach air leth an lùib an leabharlainn, an tasglainn, agus nan clàraidhean fhèin. Fuirichibh ann an Canaigh agus Sanndaigh mas urrainn dhuibh, agus drùidhidh iad oirbh mar a dhrùidh iad oirnne le bhith a' cur eòlas orra beag air bheag thar nam bliadhnaichean. Tha iad torrach agus chì sibh cruth-tìre prìseil ro-eachdraidheil bhon Linn Umha agus an Linn Iarainn. 'S ann bho linntean Ro-Chambria chun an latha an-diugh a tha na creagan, agus tha iad air an sgeadachadh le planntrais agus ainmhidhean a tha a' tighinn beò ann an sìde eadar-mheadhanach ri taobh na mara. Chaidh Canaigh a chruthachadh san Treasamh Linn Bholcànach agus tha àrd-chlàran brèagha san eilean air muin cuilbh bhàsalt caithte le deigh, a' mhuir agus an t-sìde, agus tha tràighean àrda ann.

Tha cruth-tìre nan eilean seo – a' toirt fianais air bailtean bho na meadhan aoisean, daingnichean nas ùire mar an fheadhainn aig a' Chorra Dhùn, agus làraich creideimh mar 'Sgor nam Ban Naomha', agus rudan eile a chaidha thogail nas fhaisge air ar linn fhèin mar na h-àmhainnean ceilp – a' toirt dhuinn aon de na dealbhan as coileanta a th' againn air eachdraidh Iar-thuath na h-Alba, air am faodar siostam a stèidheachadh airson deitichean ann an arc-eòlas agus eachdraidh, gu h-ionadail agus san sgìre air fad. Tha a' chlachaireachd bho thràth san linn Chrìosdail agus an làrach mhanachail aig a' Chille, coisrigte don Naomh Calum Chille, a' comharrachadh gu robh feadhainn de na ciad mhiseanaraidhean Crìosdail a' fuireach ann an Canaigh agus 's dòcha Calum Chille fhèin san t-siathamh linn. Chaidh beul-aithris ionadail a tha a' ceangal Calum Chille ri Canaigh a chruinneachadh tràth san t-seachdamh linn deug.

Chithear comharran air Canaigh is Sanndaigh gu robh daoine a' fuireach annta bho ro linn nan Lochlannach, tro riaghladh Tighearnan nan Eilean agus Chlann Raghnaill, gu Fuadaichean na naodhamh linn deug gun abhsadh. Tha comharran air leasachaidhean a thaobh àiteachais agus iasgaich agus mar a dh'èirich cultar sòisealta eile mar thoradh air croitearachd bho thràth san naodhamh linn deug fhathast gu math follaiseach.

Gheibh an neach-siubhail sealladh slàn air dualchas agus dòigh-beatha na Gàidhealtachd agus Innse Gall sna h-eileanan seo. Neo-fhaicsinneach dhan t-sùil ach ag èigheach bho bheul-aithris nan Gàidheal tha an ùine a chuir Alasdair MacMhaighstir Alasdair seachad sna h-eileanan seo, am bàrd Gàidhlig as ainmeile a th' ann. Mu 1750, ann an àite fasgach faisg air a' mhuir far am faiceadh e Ruma, thathar ag ràdh gun do chruthaich Alasdair MacMhaighstir Alasdair an t-euchd-dhàn 'Birlinn Chlann Raghnaill', a tha a' cleachdadh turas-mara birlinn a chinn-chinnidh bho Uibhist a Deas, seachad air na h-Eileanan Tarsainn gu Carraig Fhearghais air costa Aontraim mar shamhla air caran an t-saoghail.

A' cur crìoch air a' chearcall tha an neach-siubhail a' tilleadh seachad air costa iar-dheas an Eilein Sgitheanaich, Rubha Shlèite agus a-steach gu Malaig. Tha sibh ann an saoghal fa leth, fa chomhair fàire a tha daonnan ag atharrachadh fo sholas caochlaideach gach latha agus seusan, am fianais tìr, muir agus iarmailt a mhùthas fo bhuaidh na sìde luasganaich. Sgrìobhadh an liuthad a dh'fhaclan mu eileanan Innse Gall, gu sònraichte sa cheud bliadhna a dh'fhalbh agus cuid a' toirt dhuinn dealbh mhionaideach agus dealbh nas fharsainge; tha e coltach nach eil aon chùil air fhàgail nach fhaca no air nach do sgrìobh duine. Ach bidh neach-siubhail an-diugh fhathast a' gabhail toileachas nuair a leagas an sùil orra agus tha an dìomhaireachd fhathast gur cuairteachadh, agus bu chòir am facal mu dheireadh a bhith aig na Gàidheil. Tha òran a chaidh a chruinneachadh ann an Uibhist ann an 1893 a' sealltainn na spèis shònraichte a bh' aig sluagh Innse Gall do na h-Eileanan Tarsainn:

"Nam bithinn-sa roinn an fhearainn,
Cha b' e ur cuid a bhith falamh dheth,
Bu leibh Rum is Eige,
'S Canaigh is Eilean nam Muc ..."

The Gaelic Rings

The Gaelic Rings is a multi-agency partnership between Argyll and Bute Council; Bòrd na Gàidhlig; Comhairle nan Eilean Siar; The Highland Council; Caledonian MacBrayne; VisitScotland and HITRANS – The Highlands and Islands Transport Partnership.

Cearcaill na Gàidhlig

Is e co-bhanntachd a th' ann an Cearcaill na Gàidhlig eadar caochladh bhuidhnean: Comhairle Earra-Ghàidheal is Bhòid; Bòrd na Gàidhlig; Comhairle nan Eilean Siar; Comhairle na Gàidhealtachd; Caledonian Mac a' Bhriuthainn; Tadhail air Alba agus HITRANS – Co-Chomunn Còmhdhail na Gàidhealtachd 's nan Eilean.